SO-AWB-234

This book purchased with
a generous donation from

**Phillips 66**

# EL PAPA QUE AMA EL FÚTBOL

Michael Part

# El Papa que
# ama el fútbol

## La ejemplar historia del niño
## que se convirtió en el papa Francisco

Traducción de Varda Fizsbein

PUCK

Argentina – Chile – Colombia – España
Estados Unidos – México – Perú – Uruguay – Venezuela

Título original: *The Pope Who Loves Soccer*
Editor original: Sole Books, Beverly Hills, California
Traducción: Varda Fizsbein

1.ª edición Abril 2014

**Fotografías**
fotos de cubierta: Reuters/Cortesía familia Bergoglio
fotos de contracubierta: L'Osservatore Romano
páginas 32, 69 y 74: Reuters/Cortesía de María Elena Bergoglio
páginas 48, 112, 113: Reuters/Cortesía Club Atlético San Lorenzo de Almagro
página 78: AP Photo/Alessandra Tarantino
páginas 90, 109: Reuters/L'Osservatore Romano

ISBN: 978-84-96886-35-3
E-ISBN: 978-84-9944-711-7
Depósito legal: B-7.046-2014

Fotocomposición: Ediciones Urano, S.A.
Impreso por: Rodesa, S.A. – Polígono Industrial San Miguel
Parcelas E7-E8 – 31132 Villatuerta (Navarra)

Impreso en España – *Printed in Spain*

*A mi madre y a mi padre*

••••••

# *Índice*

# 1

## Las dos llegadas

*Dos semanas después de zarpar de Génova, Italia, el barco de pasajeros* Princesa Mafalda* *vibra y se sacude violentamente cuando el eje de transmisión de la hélice de estribor se rompe en mil pedazos en las oscuras aguas frente a la costa de Brasil. El eje se desprende, gira y abre enormes brechas en el casco. Una ola monstruosa empequeñece al barco y lo engulle...*

En algún lugar, al otro lado del Atlántico, a primeras horas de la mañana, el cardenal Jorge Mario Bergoglio, arzobispo de Buenos Aires, dormía en su asiento del amplio avión. Cuando las ruedas del

---

*Aunque en América Latina se lo conocía así, el nombre original del barco, en italiano, era *Principessa Mafalda. (N. de la T.)*

aparato chirriaron al frenar sobre la pista del aeropuerto de Fiumicino, el cardenal despertó. Acababa de aterrizar en Roma. Había estado volando toda la noche desde Buenos Aires, Argentina. La curia romana lo había convocado a Roma junto con otros ciento quince cardenales de todo el mundo, para elegir a un nuevo Papa, que se convertiría en el líder de la Iglesia católica. Cuando todos los cardenales estuviesen reunidos, integrarían el Colegio Cardenalicio. La elección de un nuevo Papa es un acontecimiento de suma importancia y el mundo entero esperaba expectante.

Dos semanas antes, el papa Benedicto XVI, Joseph Ratzinger, el todavía Papa y amigo del cardenal, había renunciado inesperadamente.

Sentía que, debido a su avanzada edad, no tenía más fuerzas para cumplir con sus obligaciones. Era la primera vez que un Papa renunciaba desde que lo hiciera el papa Gregorio XII, en el año 1415.

El cardenal miró su reloj. Eran las 9.30 de la mañana del 3 de marzo de 2013. Hacía mucho tiempo que no dormía hasta tan tarde. Habitualmente se despertaba con toda puntualidad a las 4.30 de la madrugada. Las 9.30 para él era la mitad del día. Estiró las piernas y sus pies chocaron con el asiento que tenía delante. Cuando la Iglesia lo había convocado a Roma, le habían ofrecido un lujoso asiento en primera clase, pero él lo había rechazado. «Donen la diferencia del pasaje a los pobres —les indicó—. Ellos necesitan el dinero más de lo que yo necesito un asiento de lujo.» Jamás viajaba con las vestiduras de cardenal y llevaba puesta la sotana negra de sacerdote.

En marzo todavía hace frío en Roma. El cardenal se puso un abrigo oscuro. Apenas si podía esperar para llegar a la ciudad y caminar entre la gente. Sus padres, Mario y Regina, procedían del norte de Italia y había aprendido a hablar fluidamente el idioma cuando era chico, gracias a su abuela Rosa, quien se valía del relato de los incidentes en torno a su nacimiento para enseñarle al niño Jorge una saludable dosis del idioma de sus ancestros.

*Rosa Bergoglio se paseaba frente a su marido, Giovanni, y su hijo, Mario, que estaban sentados en un sofá, en el salón de la casa familiar, situada en el cuarto piso de un edificio de apartamentos en Buenos Aires. Era el 17 de diciembre de 1936. Mario, nervioso, dio un salto al oír los gritos de su esposa, Regina.*

—¿Ha muerto? —preguntó.

Rosa, su madre, dándole un empujoncito, lo ayudó a que volviera a sentarse.

—No, Mario. Está dando a luz. Dale un respiro.

Giovanni Bergoglio palmeó la espalda de su hijo.

—Esto es lo que pasa cuando nace un chico. Y no te olvides. Todos los bebés traen un pan bajo el brazo.

Mario asintió respetuosamente.

—¿Vos tuviste miedo cuando yo nací, papá? —preguntó.

Rosa le lanzó una mirada a Giovanni, que pareció encogerse ante sus ojos atentos.

—Yo estaba en el bosque.

—Se había ido a dar un paseo —terció Rosa—. No podía aguantar la tensión.

Mario se rió y Rosa sonrió tiernamente a su marido.

—Tu madre tiene razón —comentó Giovanni—. Estaba muy nervioso.

En ese momento se oyó el llanto de un niño en la otra habitación, y Rosa y Giovanni se miraron. Ella asintió y sonrió. Nadie dijo ni una palabra hasta que entró la partera con el hijo recién nacido de Mario en sus brazos. El bebé lloraba, y sus gritos resonaban en las paredes de la casa.

—¡Felicitaciones! ¡Es un varón! —anunció.

»A Regina le gustaría llamarlo Jorge Mario —añadió la partera, depositando al niño en brazos de Mario.

Mario tomó al bebé, miró a su madre y a su padre y preguntó:

—¿Será muy pronto para llevar a Jorge a ver su primer partido de San Lorenzo?

Todo el mundo se rió.

# 2

......

## *Los dos continentes*

Mientras el cardenal esperaba en la cola de la aduana, abrió su maletín negro para asegurarse de que tenía su breviario de oraciones en dos volúmenes, su agenda, su billetera, y su pasaje de vuelta. La gente creía que el nuevo Papa probablemente sería italiano o estadounidense. El cardenal no esperaba ser electo Papa esta vez. Eso se había acabado para él, cuando en el año 2005 había quedado en segundo lugar, detrás de su amigo, el papa Benedicto XVI. Esperaba volver a Buenos Aires a tiempo para Semana Santa. Había escrito una homilía durante el vuelo y apenas si podía esperar para ofrecerla a la multitud de fieles, una vez que hubiera regresado a casa.

Pero había un viejo dicho, que su padre, Mario, solía decirle a él y a sus hermanos y hermanas, cuando estaban convencidos de que sabían cómo iban a salirles las cosas. El padre afirmaba que procedía de algo que una vez había dicho el gran Albert Einstein: «¿Querés que Dios se ría?, entonces hacé planes».


*Mario Bergoglio, el padre del cardenal, tenía sólo veintiún años en 1927.*

*Iba rebotando en el asiento de su carreta, tirada por un caballo cuando se aproximó al puerto de la ciudad italiana de Génova.*

*Al llegar a los muelles, tiró firmemente de las riendas. «¡Ferma!», le ordenó al viejo caballo, que afortunadamente se paró de golpe. Había estado viajando durante un día entero, desde su montañoso pueblo en Portacomaro, unos cien kilómetros al norte.*

*Mario se bajó de un salto de la carreta y se dirigió rápidamente a la compañía Navigazione Generale Italiana, situada cerca del muelle, se quitó la gorra y entró.*

*Allí se sentó frente al agente de reservas, que lo miró como si fuera de Marte. Algo no estaba bien. El hombre examinó sus papeles. Volvió a mirarlo. Mario se movía incómodo en su asiento.*

*—Me temo que todos los camarotes del* Princesa Mafalda *están reservados —dijo finalmente el agente.*

—Pero mi familia hizo las reservas hace meses —argumentó Mario, buscando en un bolsillo interior de su chaqueta y sacando un trozo de papel doblado; lo abrió y lo deslizó a través del escritorio hacia el empleado de la compañía.

El agente recogió el trozo de papel con parsimonia, le echó un rápido vistazo, y lo volvió a deslizar en dirección a Mario.

—La tarifa de estos pasajes, por lo que veo aquí, es demasiado baja —dijo, dándole un toquecito con su dedo al papel—. Alguien ha cometido un error. Este camarote ha sido reservado a un precio mucho más caro.

Y después, estirando el cuello, miró a la familia que estaba en fila detrás de Mario y dijo:

—Siguientes —para indicarles que era su turno de ser atendidos.

—Bueno, ¿hay algo disponible en otra clase? —preguntó Mario, sin moverse de su asiento.

—Ya se lo he dicho. En el buque Princesa Mafalda están todas las plazas agotadas. En todas las clases —le contestó—. ¡Siguientes!

Mario se sintió deprimido. Había soñado con el día en que dejarían su aldea para viajar al nuevo mundo. Allí en Buenos Aires, a sus tíos les estaba yendo bien. Aquí en Italia, las cosas se habían puesto feas. A los Bergoglio les costaba ganarse la vida. No veía ningún futuro en la aldea de Portacomaro. Y tampoco podía verse a sí mismo viviendo bajo la dictadura fascista de Mussolini, que gobernaba el país con puño de hierro. No podía esperar más para irse.

Pero ahora todos sus sueños estaban rotos.

Dos semanas después, Mario José Bergoglio entró corriendo a la casa de la familia en Portacomaro. Sus padres, Rosa y Giovanni, estaban poniendo la mesa para cenar. Mario desplegó el periódico encima de la mesa, para que todos lo vieran. El titular era uno de los más grandes que jamás habían visto y el tamaño de la tipografía era el que habitualmente se reservaba en exclusiva para anunciar el fin de una guerra. Pero esta vez se trataba de un naufragio:

## ¡SE HUNDE EL PRINCESA MAFALDA!

Rosa cayó desmadejada en los brazos de Giovanni cuando los tres fijaron la vista en el titular del periódico que estaba sobre la mesa. Durante un largo rato todos guardaron silencio. Finalmente Rosa dijo:

—Es un milagro.

Giovanni miró a su hijo y comentó:

—Mamá tiene razón.

A la familia Bergoglio le llevó dos años más poder abandonar Italia y emigrar a Argentina. Llegaron a Buenos

Aires en enero de 1929. Rosa Bergoglio, que a pesar del calor, iba elegantemente vestida con un abrigo largo, con cuello de piel, fue la primera de la familia que abandonó el barco, el Giulio Cesare. La seguía su marido, Giovanni, y Mario, el hijo de ambos. Un mozo que cargaba equipajes sintió pena por Rosa y se acercó para ayudarla con sus valijas.

—Señora, ¿quiere que le lleve el abrigo también? —preguntó extendiendo la mano.

Ella se alejó.

—No, señor, gracias. Estoy bien —dijo en perfecto castellano.

El muchacho se encogió de hombros, recogió el equipaje y empezó a trasladarlo. Los Bergoglio lo siguieron hasta un vehículo que los esperaba para llevarlos a su casa.

Se quedaron maravillados al ver su vivienda de la cuarta planta, situada en una calle bulliciosa. Rosa, indecisa, subió al ascensor, animada por su hijo, pero una vez dentro, no tenía ni la menor idea de qué hacer. Jamás había visto un ascensor, ni mucho menos había estado en uno. Hasta ese momento.

—¡Uff! —exclamó cuando salió de la cabina en la cuarta planta.

Inmediatamente se quitó el pesado abrigo que llevaba puesto y después hizo una cosa rara. En lugar de colgarlo, lo extendió sobre la mesa de la cocina. Giovanni y sus hermanos* y Mario llevaron adentro todo el equipaje y lo amontonaron en la sala, sin prestarle atención.

Rosa tomó un cuchillo de carnicero de un bloque de cuchillos que había en un estante y, sin dudarlo, cortó la costura del forro de seda del abrigo. Después lo levantó y lo sacudió. Como por arte de magia, miles de billetes de lira se desparramaron sobre la mesa de la cocina. Cuando terminó de sacudir el abrigo, lo dejó delicadamente a un lado.

—Pensé que me iba a morir cuando bajé de ese barco —dijo sonriendo—. ¡Hacía demasiado calor!

Giovanni, sus tres hermanos y Mario soltaron la carcajada a la vez.

El cardenal recordó cómo sonaban sus risas en la época en que era un niño que crecía en Buenos Aires. Eso era música para sus oídos. Ahora estaba de vuelta en el viejo mundo: Roma. Roma estaba en el viejo mundo y Buenos Aires en el nuevo mundo. Y él se sentía como si estuviera en casa en ambos mundos.

---

*Que desde 1922 vivían en Argentina.

# 3
· · · · · ·

## *La camiseta con el número 4*

Cuando el cardenal Bergoglio salió de la terminal del aeropuerto, llevando su maletín en una mano y arrastrando su maleta de ruedas con la otra, hacía más frío de lo que esperaba. Se abrochó el último botón de su abrigo oscuro y se levantó la solapa para mantener su cuello abrigado. Vio a un colega cardenal y lo saludó con la mano; el cardenal le respondió de la misma manera, justo antes de subir al asiento trasero de un sedán negro, que salió a toda velocidad. Había fotógrafos de prensa por todas partes, esperando a los cardenales que irían llegando desde todos los sitios del mundo, pero el cardenal Bergoglio, con su sotana negra, no atrajo su atención. Ellos esperaban a cardenales, no a curas.

El cardenal esperó pacientemente en la parada del autobús, y cuando finalmente llegó, se subió. Su transporte favorito no era una limusina, ni siquiera un sedán privado, sino un autobús urbano o el subte*. En un autobús, podía sentarse entre los pasajeros y conversar con ellos, ser parte de sus vidas, escucharlos, consolarlos y quizás ayudarlos.

El cardenal eligió un asiento en medio del autobús. Tardaba cuarenta y cinco minutos en llegar al Vaticano, la más pequeña ciudad-Estado independiente en todo el mundo, situada dentro de otra ciudad. El Vaticano había sido fundado en 1929, el mismo año en que los abuelos y el padre del futuro Papa emigraron a Argentina.

El cardenal le había puesto un apodo al Vaticano. Lo llamaba «trabajo». Él lo sabía todo sobre el trabajo. Al acabar la escuela primaria, a los trece años, cuando se estaba preparando para la enseñanza secundaria, su padre le había informado de que le iba a conseguir un trabajo para las vacaciones de verano. Fiel a su palabra, Mario Bergoglio le encontró un trabajo a su hijo en la oficina del ferrocarril, donde trabajaba como contador**. El cardenal empezó barriendo el suelo, pero al cuarto año ya realizaba tareas

---

*En Argentina, tren subterráneo urbano. Metro. *(N. de la T.)*

**En otros países de habla hispana, a este profesional se lo llama «contable». *(N. de la T.)*

administrativas. Su padre le había hecho un regalo que le serviría durante toda la vida: una ética laboral.

La radio del autobús emitió las noticias sobre la próxima elección del nuevo Papa, seguidas de un aria cantada por una de sus estrellas de ópera favoritas. El cardenal amaba la ópera más que ninguna otra música, y ahora estaba en Italia, el país en el que había nacido esa grandiosa forma de arte. Cerró los ojos y volvió a Buenos Aires.

*Mario y Regina Bergoglio miraban asombrados a Jorge, su bebé. En la radio sonaba una ópera a bajo volumen, pero el sonido quedaba ahogado por el llanto del niño. La pareja se había conocido un domingo en misa, y al cabo de un noviazgo formal se casaron. Se habían mudado a esa casa en la calle Membrillar, en el corazón del barrio de Flores.*

*Mario miró a su lloroso hijo y, encogiéndose de hombros, comentó.*

*—Creo que tiene condiciones como contralto.*

*—¿Contralto? —se rió Regina—. ¿Llamás a eso melódico?*

*—No, quise decir algo así como que es… ¡ensordecedor! —replicó Mario, y ella volvió a reír.*

*Señalando la radio que estaba al otro lado de la habitación, pidió:*

—Mario, por favor, subí el volumen.

*Él cruzó la habitación en calcetines, subió el volumen de la radio y las agudas melodías de* Madame Buterfly *inmediatamente llenaron la estancia. La radio estatal estaba difundiendo la ópera de Puccini, como programa especial, una de sus favoritas, y al igual que Mario jamás se perdía un partido de fútbol de San Lorenzo, el domingo, él y su esposa tampoco se perdían nunca una ópera el sábado por la noche. El cardenal siempre pensó que su padre cedía ante su madre todos los sábados por la noche, para poder ir al partido del domingo. Después de ir a misa, por supuesto.*

*En la radio, la gran soprano Mirella Freni comenzó a cantar una magnífica aria.*

*Inmediatamente Jorge dejó de llorar.*

*Mario y Regina se miraron y se pusieron a reír.*

*Y siempre se reían también cuando le contaban al cardenal esta historia, y a lo largo de los años se la habían contado montones de veces.*


La ciudad de Roma empezó a hacerse visible. El cardenal siempre se sentía rejuvenecido en la capital italiana.

El autobús giró bruscamente.

Un grupo de chicos, vestidos con diferentes camisetas de fútbol, jugaban un partido, en una extensión de césped, en medio de un parque junto al que el tráfico circulaba velozmente.

Uno de los chicos llevaba una camiseta con el número 4. Ése era el número del cardenal cuando jugaba de lateral derecho con sus amigos, en una plaza de barrio al volver de la escuela a su casa. El nombre oficial del parque era Plaza de Herminia Brumana, y estaba justo en la calle de abajo de su casa, que se encontraba en la calle Membrillar de Buenos Aires. Pero para Jorge y sus amigos eso era la cancha*.

*La campana de la escuela sonaba fuerte en la Escuela Pública Nº 8 de la calle Varela. Las puertas se abrieron violentamente y los estudiantes salieron disparados de las clases, lanzándose escaleras abajo. Jorge se quitó la camisa de la escuela y trotó por las escaleras, revelando la camiseta de fútbol que llevaba debajo. Sus amigos, Ernesto Llach y Néstor Carbajo, ya lo estaban esperando, con las camisas en la mano y las camisetas puestas. Cuando Jorge se reunió con ellos, los tres cruzaron el edificio escolar rumbo a la puerta, y se dirigieron a la plaza.*

---

*En Argentina, campo de fútbol. *(N. de la T.)*

*Unos minutos después, Néstor gritaba:*

*—¡Jorgito! —agitando los brazos como un salvaje—.
¡Aquí!*

*Jorge cambió el balón de su pie izquierdo al derecho y
lanzó un pase a través del improvisado campo de juego de la
Plaza Herminia Brumana, en dirección a su mejor amigo,
Néstor. Ernesto se acercó corriendo y Néstor hizo el amago de
pasarle la pelota, pero decidió avanzar regateando y,
pasando por delante de los dos defensas, disparó el balón
hacia el arco, que era un banco del parque que hacía las
veces de portería.*

*Así era entonces: nada extraordinario. No había líneas
de cal en el campo, ni portería. Todo era improvisado. El
fútbol no sólo era hermoso por la alegría de jugar, sino
porque todos podían disfrutar de él; no hacía falta un
equipamiento costoso ni un espacio caro. Sólo un trozo de
terreno, una pelota y algunos chicos con ganas de jugar un
partido.*

*Había un grafiti en una de las paredes, que decía: «Los
Cuervos de Boedo». Boedo era el nombre del barrio vecino a
Flores, que era donde Jorge vivía. Los habían apodado Los
Cuervos, porque el equipo de fútbol San Lorenzo de Almagro
había nacido en el terreno de una iglesia, organizado por un
cura llamado Lorenzo Massa. Y dado que los curas siempre
visten de negro, popularmente se les llama «los cuervos».*

Oficialmente, su nombre era Los Santos o Los Ciclones, pero para los entendidos, para quienes realmente los amaban, para los seguidores acérrimos como era toda la familia Bergoglio, eran Los Cuervos.

Todos los chicos de Flores y de Boedo creían de todo corazón que el mejor equipo de fútbol de Argentina era el Fútbol Club San Lorenzo de Almagro.

Néstor había aprendido de su padre a amar a Los Cuervos, y Jorge del suyo. Era como una herencia. Había otros equipos en Buenos Aires, como Boca Juniors, River Plate o Independiente. Pero en Flores sólo había uno: el orgullo de Boedo, Los Cuervos del San Lorenzo de Almagro: Los Cuervos de Boedo.

¡Gol!

Néstor marcó otro gol. Jorge alzó los brazos, atravesó la cancha, lo levantó en vilo y lo abrazó triunfante.

—¡Igual que Pontoni!, ¿a que sí? —gritó Néstor.

Hablaban de René Pontoni, el más grande de todos los delanteros que jamás había existido, si se lo preguntabas a Jorgito y a Néstor. Y 1946 fue el año más grandioso para Pontoni y su equipo. Para Jorgito y Néstor, Pontoni era una leyenda viva.

*Los hermanos Jorge y Óscar.*

# 4

......

## *El año más sorprendente*

René Alejandro Pontoni nació en Santa Fe, Argentina,
en 1920. Hizo su debut en la selección argentina en
1942, como delantero, y era el capitán de su equipo
cuando éste se convirtió en el campeón sudamericano
de 1945, 1946 y 1947; Pontoni había marcado
diecinueve goles en diecinueve partidos. En 1946, el
Fútbol Club Barcelona le ofreció un contrato, pero a
diferencia de Maradona y Leo Messi, dos argentinos
que se unieron a este club años más tarde, Pontoni no
lo hizo.

*Lo importante para Jorge, Néstor y Ernesto era lo que Pontoni
había hecho en 1944: formar parte de la plantilla del San
Lorenzo. Pontoni era la quintaesencia del héroe argentino, en
un país con una larga y rica tradición futbolística.*

*Las actividades de los fines de semana de la familia Bergoglio se cumplían puntualmente, como un reloj: cada sábado iban a la casa de la abuela Rosa y escuchaban ópera, y cada domingo iban a ver un partido de fútbol.*

*Mario estaba atento a lo que ocurría en el campo del equipo local, conocido como el Gasómetro; estaba mirando cómo calentaban los jugadores. Tomó la mano de Regina, su esposa, y la ayudó a sentarse; después se sentó junto a ella. Todos los chicos se desplomaron en los asientos a su alrededor. Jorge se sentó junto a su padre. Solían llegar temprano y por eso encontraban sitio en la fila 5, justo unas cuantas hileras más arriba del césped. Era un partido importante: sus amados Cuervos de San Lorenzo se batían con el formidable Racing de Avellaneda. El Racing era un equipo duro y, al final de la temporada, cada partido contaba. Los Cuervos habían hecho una buena temporada y tenían la esperanza de ganar el campeonato. Pero primero tenían que vencer al Racing.*

*Era el 20 de octubre de 1946, el día en que todos en la tribuna del Gasómetro estaban quietos como muertos. Los Cuervos estaban destrozando al Racing. Ya iban 4 a 0, y la tribuna estaba electrizada por la excitación. Entonces Francisco de la Mata avanzó con la pelota regateando a los contrincantes y buscando al «maestro» René Pontoni, hasta que finalmente reparó en él con el rabillo del ojo.*

*Pontoni estaba de espaldas a la portería.*

*Jorge se puso de pie suavemente y contuvo el aliento.*

*Yerba y Palma estaban encima de Pontoni.*

*La multitud se hallaba de pie.*

*De la Mata centró y Pontoni paró la pelota con el pecho, luego la dejó caer hasta su pie derecho, controlándola durante lo que pareció toda una vida. Empezó a hacer malabarismos con ella, no dejando nunca que tocara el suelo. Luego, de improviso, hizo amago de correr hacia la derecha, giró bruscamente hacia la izquierda, driblando a los dos defensas, y estrelló la pelota en la portería fuera del alcance de Ricardo, el guardameta del Racing.*

*El estadio se quedó en un silencio absoluto.*

*Ninguno de los treinta y cuatro mil espectadores dijo una palabra.*

*Transcurrieron tres segundos del más rotundo silencio en el Gasómetro.*

*¡Y entonces la muchedumbre estalló en vítores por la jugada de Pontoni que había acabado en un glorioso gol!*

*En aquella época, no había grandes pantallas en los estadios para volver a repetir las jugadas ni televisión para ver una vez más un gol gracias a una grabación. De modo que la magia del momento, simplemente quedó grabada para siempre en el corazón del Jorge de diez años de edad, que volvería a reproducir ese gol en su mente con frecuencia a lo largo de los años.*

Después del partido, cuando revivieron esos grandes momentos, el padre de Jorge le dijo que era «un gol digno de un Premio Nobel».

De vuelta en la plaza, los chicos siguieron jugando su partidito diario. Se imaginaban a sí mismos como los héroes de ese juego.

—¡Si sos Pontoni, entonces te merecés el Premio Nobel por ese gol! —dijo Jorge, conduciendo la pelota calle abajo. Néstor tuvo que apresurarse para alcanzarlo.

Jorge lo miró. Se le veía en la cara que tenía algo que decir. Él siempre había sido un buen observador y sabía escuchar. Eso era lo que los demás chicos solían decir de él.

—¿Ya hiciste los deberes, Jorgito? —preguntó Néstor Carbajo.

—Por supuesto —contestó Jorge, sonriente, pisando el balón con el pie y enviándole un pase a su amigo—. ¿Y vos?

Néstor se echó a reír.

—¿Y a vos qué te parece?

Jorge sonrió.

—¿Trajiste los libros?

—Sí —respondió Néstor.

—Bueno. Vamos a ver.

Jorge se dirigió de vuelta a la plaza y su amigo lo siguió.

—Gracias, Jorgito —y apuntándose a sí mismo, Néstor le guiñó un ojo—. Pontoni nunca se va a olvidar de vos.

*Los amigos se echaron a reír juntos, y cuando estuvieron en la plaza, se sentaron en el cordón de la vereda\* y Jorge repasó los deberes del día con él. El resto de los chicos se dispersaron en todas direcciones, para volver a sus casas. Jorge se quedó con Néstor hasta la hora de cenar y después, pasándose la pelota adelante y atrás entre ellos, también se fueron corriendo cada uno a su casa.*

---

\* En Argentina, el bordillo de la acera. *(N. de la T.)*

# 5

......

## *El hincha*

El cardenal Bergoglio entró en su habitación del hotel Domus Internationalis Paulus VI de la vía de la Scrofa. El hotel, un palacio de piedra construido alrededor del siglo XVII, que en una época había albergado un colegio de los jesuitas, era ahora un alojamiento barato para sacerdotes, propiedad del Vaticano.

A pesar del frío, abrió la ventana para dejar que entrara un poco de aire fresco en la habitación. Depositó la maleta con ruedas encima de la cama y miró a su alrededor: una cama individual y una mesita de noche. Una lámpara. Una radio. Una cómoda con cajones de madera situada contra una pared. Un pequeño armario. Una puerta que daba a un cuarto de baño, aún más pequeño.

Alguien golpeó la puerta.

Fue hasta ella y la abrió. Era el conserje del hotel.

—Su eminencia —dijo—, ¿a qué hora quiere que lo recoja nuestro coche por la mañana?

Jorge se rió.

—Gracias, pero no necesito el coche. Iré a trabajar, caminando —respondió.

El cardenal cerró la puerta, fue hasta la mesita de noche donde estaba la radio y la encendió, giró el dial tratando de sintonizar alguna emisora, y se detuvo cuando oyó un aria.

La melodía de la ópera invadió la habitación.

Abrió un periódico que había sobre el escritorio y buscó la sección de deportes. Examinó la página durante un rato largo y, al final, cerró el diario, frustrado. Se apresuró a buscar su maletín, sacó el teléfono móvil y escribió un texto:

**Llegué bien a Roma. ¿Me podés decir el marcador del partido de hoy del San Lorenzo?**

Deslizó el pulgar por la lista de contactos de su teléfono, hasta que encontró al padre Alejandro Russo, párroco de la catedral y uno de sus ayudantes en Buenos Aires, y entonces pulsó «enviar». La respuesta llegó a los pocos segundos:

**¡San Lorenzo le ganó a River, 2 a 0!**

Sonrió y respondió:

**¡Bien! ¡Gracias!**

Cuando pulsó «enviar» recordó otro partido de San Lorenzo, de hacía ya mucho tiempo.

*El padre de Jorge estaba en la parada del autobús, el domingo 8 de diciembre de 1946.*

*—Bueno, de uno en uno —dijo, como si estuviera dirigiendo el tráfico, mientras su familia subía los escalones del autobús urbano.*

*—Aquí, mamá —intervino Jorge, ofreciéndole la mano a su madre. Con el otro brazo, ella sostenía a su hermana, Marta Regina.*

*—Gracias, Jorge. Sos todo un caballero —respondió ella subiendo y mirando con orgullo hacia su marido.*

*Alberto y Óscar, los hermanos más pequeños de Jorge, subieron después. Jorge miró a su padre, que asintió, y entonces también él subió, seguido por Mario. Cuando todos estuvieron arriba, el autobús arrancó con un rugido.*

*Iban lejos para ver un partido. No hay nada más*

excitante que un derbi: cuando los rivales son dos equipos vecinos, el juego se convierte en una ocasión especial. Y ese día la excitación estaba en su punto máximo. ¡Si San Lorenzo ganaba el partido de hoy, ganaría el campeonato por primera vez!

Caballito era el barrio vecino de Flores. Estaba justo en medio de la ciudad de Buenos Aires, y era la sede del Club de Fútbol Ferro Carril Oeste, más conocido como Ferro.

El autobús soltó un rugido junto al Bar Gaucho, y Mario hubiera jurado que había visto cómo giraba el caballo de la veleta cuando pasaron por delante; el conductor aceleraba demasiado. Al barrio lo llamaban Caballito por ése bar, que tenía en el techo una veleta con un gaucho galopando a caballo.

—Uno sabe que está en Caballito —dijo Mario— cuando ve la veleta.

La cancha del Ferro, el Templo de Madera, parecía un carnaval. Los golpes de los pies de miles de hinchas resonaban como truenos en el estadio; todos se apresuraban para llegar a sus asientos, vestidos con las camisetas de su equipo, agitando banderas y soplando sus cornetas. Familias enteras asistían al partido de ese domingo, para olvidar la dureza de los días laborables. El estadio de fútbol era el lugar donde todo el mundo se sentía parte de una comunidad mayor.

Todos habían venido con la esperanza de ver un gran partido, de ganar y de pertenecer a un grupo de personas que era una sola cuando se trataba de sueños, ilusiones y objetivos. El estadio era donde podías gritar de alegría o desesperarte junto con los demás: donde podías rezar y animar y cantar hasta que te doliera la garganta. No importaba si eras hombre, mujer o niño, joven o viejo.

Cuando Jorge y su familia entraron en el estadio Templo de Madera y ocuparon una fila de asientos en la parte de la tribuna de los aficionados del equipo visitante, el San Lorenzo, los bombos sonaban rítmicamente y también se oían las cornetas. Los hinchas del San Lorenzo y los del Ferro, sentados en lados opuestos del campo, creaban una pared de ruido, que cubría la cancha como una nube de ilusión plena del ferviente amor que sentían por sus equipos.

La familia Bergoglio se sentó en la parte de San Lorenzo, porque hacerlo en cualquier otra no hubiera sido prudente.

Los dos equipos entraron en la cancha para calentar. Los locales fueron recibidos con una alegría ensordecedora. Los aficionados del San Lorenzo abuchearon a los jugadores, pero sus gritos fueron fácilmente cubiertos por los atronadores gritos de ánimo de los del Ferro.

Enseguida entró el mejor equipo de la liga.

Todos en el estadio sabían lo que estaba en juego. Si el San Lorenzo ganaba, se llevaría a casa la copa del campeonato.

Pero el Ferro estaba a un punto del último puesto y había venido a llevarse ese punto. Nadie, ni siquiera el mejor equipo de la liga, podía venir al campo del Ferro, triturarlo y marcharse con el trofeo. Si el San Lorenzo quería ganar, que lo hiciera en su propia cancha. No en la del Ferro. No hoy.

Jorge y todos los aficionados del San Lorenzo que estaban en la tribuna aclamaron a sus héroes cuando los vieron preparándose para el partido. Sus ojos no se despegaban del «trío de oro»: los tres jugadores de ataque, veloces y furiosos, que se veían confiados y fuertes. Eran el legendario Pontoni; Armando Farro, conocido por su letal habilidad como goleador, la destreza creativa en el juego y su técnica; y el imparable Rinaldo Martino. Los aficionados del San Lorenzo los aclamaban con ferocidad. Se sentían estremecidos ante la idea de que su equipo iría a por todas. La última vez que el San Lorenzo había ganado el campeonato había sido en 1933, tres años antes de que Jorge hubiera nacido. Él pensaba que estaba siendo testigo de la historia.

En la tribuna de la prensa, dos periodistas deportivos del diario Clarín, Vicente Villanueva y Héctor Villita, aguardaban el inicio del partido.

Villanueva, mirando a los hinchas del San Lorenzo, escribió en su bloc de notas: «El San Lorenzo está dentro del corazón de sus seguidores. Para esos fieles aficionados es casi una obligación asistir a todos los partidos para ver jugar a *su equipo. Saben que tienen un imparable equipo ganador y que la satisfacción está garantizada».*

*Su colega, Héctor Villita, notaba la electricidad en el ambiente. Sabía que el San Lorenzo era el favorito.*

*A Villanueva le encantaba el estilo de juego del equipo. Le dijo a Héctor:*

*—Combinan la vieja escuela de regate y pases por todo el campo con la nueva de atletismo y velocidad. Los clubes gigantes, como el River y el Boca deberían tomar nota.*

*—Y tienen el mejor trío de ataque de la liga —apuntó Villita.*

*No había discusión posible.*

*El árbitro pitó y el San Lorenzo empezó a atacar inmediatamente, dirigido por Pontoni. Parecía que toda la tribuna del Ferro se había quedado sin aliento.*

*La defensa del equipo anfitrión recuperó la pelota, pero segundos después Pontoni estaba de nuevo al ataque y se la pasó a Martino. Cuando corrieron hacia la portería, Martino remató y la pelota salió disparada buscando la meta. Pero el disparo era demasiado alto y pasó por encima del travesaño. Los hinchas de San Lorenzo se pusieron de pie. Todos gritaban. Habían estado muy cerca, Jorge no podía respirar.*

*Los siguientes quince minutos pasaron muy rápido, mientras el San Lorenzo atacaba con todas sus fuerzas y el Ferro se defendía y paraba los tempestuosos ataques.*

En el minuto veinte, Armando Farro disparó a puerta.

El arquero del Ferro casi detuvo el tiro, pero no pudo controlar el balón y el obús de Farro se estrelló en la red.

¡El San Lorenzo marcó su primer gol! Entonces, cuando apenas faltaban unos segundos para que concluyera la primera mitad del partido, Pontoni consiguió hacerse con la pelota. Regateó a dos defensas del Ferro y se la pasó a Farro, que disparó a portería. El sonido del balón golpeando el poste y el clamor de júbilo de los aficionados del San Lorenzo rápidamente se tornaron en un gemido generalizado de desilusión, seguido de una ola de alivio por parte de los hinchas del equipo local.

Sonó el pitido del final del primer tiempo.

Jorge, que vestía la camiseta con el número 4, estaba de pie. Su padre le había dicho que los partidos de fútbol se decidían con el pitido final. Estaba contento. El espectáculo era digno de verse y su equipo estaba ganando uno a cero. Pero sabía que no era suficiente. Faltaban cuarenta y cinco minutos y podía pasar cualquier cosa.

En la tribuna de la prensa, Héctor escribió en su libreta de notas: «Los jugadores del San Lorenzo estaban tan relajados que no parecía importarles si marcaban o no. ¡Estaban disfrutando mucho en la cancha!»

El cardenal estaba trabajando en su discurso. La Congregación General de Cardenales se prolongaría durante una semana, y en algún momento él tendría que pronunciar un discurso. Le encantaba escuchar ópera y música clásica mientras escribía. Le gustaba Beethoven y su pieza favorita era la obertura *Leonora*.

El despertador sonó a las 4.30 de la madrugada. Era un nuevo día en Roma. Dentro de apenas unas horas, los ciento quince cardenales que habían venido de todas partes del mundo se reunirían en una nueva asamblea del Sínodo, en el Vaticano, para debatir los planes para elegir un nuevo Papa. La plaza de San Pedro ya comenzaba a llenarse de medios de comunicación y fieles. El mundo estaba atento.

*El carné de un aficionado fiel.*

# 6

. . . . . .

## *Las dos ciudades*

Siempre hay un alto nivel de secreto en torno a las reuniones del Colegio Cardenalicio. Pocas personas sabían que, desde que el papa Benedicto XVI se había apartado de su cargo el 28 de febrero, habían sido los cardenales quienes se habían hecho cargo de la Iglesia.

Al cardenal le gustaba bajar de dos en dos las escaleras que conducían a la cafetería en la planta baja. Recordaba que también lo hacía así cuando de chico iba a la escuela; era como memorizaba sus horarios, y volvía loco a su maestro. Ahora, simplemente necesitaba asegurarse de que todo iba bien en su sistema respiratorio. Había perdido la mayor parte de su capacidad pulmonar, a raíz de una neumonía que había padecido cuando era joven y, por eso, siempre que podía, hacía ese tipo de cosas, como forma de ejercitar el pulmón sano que le quedaba.

Pensaba ir caminando hasta el Vaticano, como siempre hacía. Llevaba puesta la sotana negra. Mientras hacía cola en la cafetería, junto a otros sacerdotes que se alojaban en el Paulus VI, observó maravillado los grandes cuadros que reproducían escenas bíblicas, colgados en todas las paredes de la sala. Después de un desayuno ligero, se preparó para la caminata. Se puso el pectoral, la cruz que por insignia pontificia llevan sobre el pecho los obispos y otros prelados, y su abrigo oscuro. Guardó el solideo, el casquete rojo de obispo en el bolsillo del abrigo. También llevaba su billetera, donde guardaba el carné de socio de San Lorenzo de Almagro, con su foto. Los directivos del club se lo habían dado en el año 2008, después de que, un domingo, dijera misa para ellos. El cardenal Bergoglio era un auténtico aficionado. Su carné del San Lorenzo de Almagro llevaba el número 88235.

Cuando estuvo en el vestíbulo, salió al exterior y se ajustó bien el abrigo, porque soplaban vientos fríos en las calles adoquinadas. Cerca del hotel había una hermosa plaza. Pese a lo temprano de la hora, las calles ya estaban llenas de gente. Había turistas, familias, jóvenes estudiantes, barrenderos, vendedores, curas y artistas callejeros. No había otros cardenales alojados en esta zona de Roma; todos estaban en otro hotel, más cerca del Vaticano.

Se detuvo a mirar a un malabarista y a dos filas de estudiantes que pasaron junto a él, los niños a un lado y las niñas al otro, vestidos con sus uniformes escolares, faldas o pantalones oscuros y camisas blancas, y cargando libros. La profesora, una monja que vestía hábito negro y blanco, los seguía atentamente, como si condujera al grupo con un hilo en medio de la calle repleta; la fila de niños iba zigzagueando como una serpiente amaestrada.

—Buenos días, padre —saludó la religiosa cuando pasó por delante del cardenal, sonriéndole ampliamente.

Él respondió a su sonrisa. La monja le recordó a su primera maestra, la hermana Rosa, a la que le gustaba ponerlo como ejemplo cada vez que él soñaba despierto en clase.

*—Buenos días, Jorge, qué bueno que te unás a nosotros —dijo la hermana Rosa en voz bien alta desde el frente de la clase.*

*Jorge se dio cuenta de que había estado soñando despierto. Los otros alumnos se reían. Lanzó una rápida* mirada a su amigo Ernesto, que puso los ojos en blanco en gesto de desaprobación: no porque hubiera estado absorto en sus ensueños, sino por haberse dejado atrapar.

—¿Querés compartir tus fantasías con nosotros? —le retó la hermana Rosa.

—Perdón, hermana Rosa —respondió Jorge, ofreciéndole su mejor sonrisa a su profesora favorita y encogiéndose de hombros—: simplemente estaba pensando en jugar al fútbol.

La monja levantó una ceja y continuó:

—¿Por qué no me sorprende?

Se volvió, intercambió una mirada con Ernesto y después con Néstor Carbajo, y preguntó:

—¿Hay alguien más que esté soñando con un partidito de fútbol después de la escuela?

Nadie dijo una palabra. Miró hacia el pupitre de Jorge y se dirigió a él:

—Deje de soñar despierto, señor, o tendrá que quedarse después de clase.

Era una amenaza, como sabían Jorge, Ernesto y Néstor; también sabían lo que significaba. Ya lo había hecho otras veces. Y cada una de ellas, les había arruinado un partido. Ernesto y Néstor intercambiaron una mirada. Hoy tenían que jugar. Y necesitaban a Jorge. Tenía cualidades de entrenador. Organizaba los partidos, le indicaba a cada jugador su puesto en la cancha, y tenía auténtica visión de cómo tenían que jugar el partido. Jorge no era muy buen jugador, pero entendía el juego. Lo suyo era jugar de defensa, donde se jugaba intensamente y la disputa por la posesión de la pelota era confiada a los chicos que no eran estrellas; los que no tenían un talento natural para regatear, pasar y marcar.

Al terminar la clase, Jorge se quedó en el patio de la escuela jugando con una pelota. Un chico se le acercó, le disputó el esférico y se lo quitó con destreza. En lugar de enojarse con el niño, que era varios años menor que él, le sonrió y le dijo:

—¡Me la robaste bien, Óscar!

Óscar Bergoglio, el hermano menor de Jorge, corrió con la pelota hasta el otro lado del patio de la escuela, mirando hacia atrás y gritando:

—¡Soy mejor que vos, Jorgito!

Jorge hizo una mueca y empezó a perseguirlo, disfrutando del desafío.

La hermana Rosa salió y desde las escaleras que llevaban al aula miró cómo Jorge y su hermanito corrían alrededor del patio. Sabía que irían a jugar un partido a la plaza cuando salieran. ¡Jorge era tan brillante y tenía tanto potencial! Pero en ese momento todo lo que tenía en la cabeza era jugar al fútbol con sus mejores amigos.

La temperatura había bajado ligeramente cuando el cardenal se dirigió hacia el río Tíber. Lo cruzaría por el puente de Sant'Angelo, cerca de la estatua de san Miguel, después seguiría por la calle que llevaba hacia su destino en el Vaticano.

El aire frío de Roma contrastaba con la temperatura que hacía en su amada Buenos Aires, donde tan sólo un día antes hacía calor y humedad.

*Era un caluroso día del verano de 1946 en Buenos Aires; Jorge iba a casa de su abuela Rosa.*

*La abuela Rosa vivía a un par de manzanas de la calle Membrillar. Él caminaba rápido por la avenida principal, pasando por delante de muchos negocios\*, y podía disfrutar viendo las vidrieras\*\*. Empezó a ir más despacio al pasar por el Mercado Argentino, desde donde el aroma de la carne asada inundaba la calle. «¡Buenos días, Jorgito!», le saludó el dueño de una tienda cuando pasó por delante.*

*Jorge siguió avanzando y se puso a mirar la vidriera de*

---

\*En Argentina, forma de llamar a las tiendas. *(N. de la T.)*

\*\*Escaparates, idem. *(N. de la T.)*

*la tienda de comida judía con sus* babka\* *acabados de hornear, y la carne ahumada recién hecha todavía humeando bajo las cálidas luces. La pastelería y el mercado italiano olían a orégano, tomate, marisco y a la pasta que se cocía en grandes cacerolas. Pasó por la consulta de su dentista, el doctor Delaport, cuyo hijo, Osvaldo, jugaba con él al fútbol. Jorge contuvo la respiración. El olor esterilizado de la consulta de un dentista no le iba a estropear el paseo. Finalmente, soltó el aire cuando hubo pasado por el consultorio dental y aspiró profundamente al llegar al restaurante armenio, cuando lo invadió el exótico aroma del* dzhash, *un plato hecho con berenjenas, yogur, carne y legumbres, y perfumado con hojas de menta.*

*Mientras caminaba, lo envolvían esos aromas de los platos que preparaban tantas personas de tantos países del mundo; inmigrantes que habían venido a Argentina para construir una nueva vida para ellos y un nuevo hogar para sus familias. En una sola y pequeña manzana de Flores, Jorge podía detenerse ante cada una de las puertas, que le daban acceso a un mundo distinto, y a una cultura diferente*

---

\*Literalmente, «abuela» en ruso; pastel dulce de la repostería rusa, polaca y otros países de Europa del Este. Hay una versión algo distinta, con relleno de frutas, que preparan los judíos oriundos de esos países. *(N. de la T.)*

*y excitante. Aquí, todos hablaban el mismo idioma, pero todos tenían otro en el que también hablaban, el lenguaje de sus ancestros.*

*Todos eran, a la vez, distintos e iguales.*

*Su abuela Rosa era un perfecto ejemplo de eso: era italiana y argentina, y para ella resultaba natural pertenecer a ambas culturas incluidas en una misma persona. Su padre, Mario, por otro lado, prefería no hablar en italiano con Jorge. Quería que sus hijos fueran cien por cien argentinos. Pero Jorge era un chico curioso y quería saber de qué hablaban su abuela y su abuelo. El sonido de la lengua italiana le gustaba tanto como la comida de ese país.*

*Jorge siempre iba a casa de su abuela Rosa, que estaba a pocas manzanas de la suya, después de la escuela o después de jugar, y se quedaba allí hasta que su padre, que era contable en la empresa de ferrocarriles, llegaba a casa del trabajo y lo recogía. Su madre estaba demasiado ocupada con sus hermanos y su hermana; por eso, la abuela Rosa quería que fuera a su casa. Quería vigilarlo de cerca, cuidarlo y darle la educación que suponía no podían darle en la escuela. Lo primero que hizo fue enseñarle italiano, su lengua natal. Lo otro fue instruirlo sobre Dios.*

*Jorge estaba sentado enfrente de su abuela Rosa, al otro lado de la mesa del comedor. Ella puso delante de su joven* nieto un vaso que llenó con leche que había en una jarra. Ante ella había un libro abierto.

—¿Qué te acabo de dar? —le preguntó en castellano.

—Leche —contestó Jorge en el mismo idioma.

—¡Incorrecto! —lo riñó—. Dimmi in italiano. ¡Decímelo en italiano!

—Mi scusi, nonna —respondió Jorge, incómodo. Levantó el vaso de leche y se lo bebió entero, después le acercó a su abuela el vaso vacío:

—Più latte, per favore.

Le había pedido en italiano: «Más leche, por favor».

El rostro de la abuela Rosa refulgió de felicidad. Levantó la jarra de leche y le sirvió otro vaso.

—¡Eccelente! —exclamó sonriendo, y después se fue hasta el otro lado de la mesa y, tomándole la cara con sus manos, lo besó en la frente.

—¿Cómo era entonces en Italia, nonna? —preguntó Jorge.

La abuela Rosa suspiró.

—La vida bajo la dictadura de Mussolini era dura. Los negocios iban bien hasta que empezaron a gobernar los fascistas. Mirá, Italia es uno de los países más lindos del mundo. Yo adoro a mi país. Pero eran tiempos difíciles. La gente perdió su libertad y para nosotros era difícil llegar a fin de mes.

»*Tu papá quería disfrutar más de la vida y no veía futuro en Italia. En ese entonces, un montón de gente joven buscaba una vida mejor en América: nuevas oportunidades, soñaban con ganar más plata\* y vivir mejor.*

—*Yo quiero practicar italiano con mi papá, pero él sólo quiere hablar en español —dijo Jorge, tomando un poco más de leche.*

*Y luego preguntó:*

—*¿Por qué?*

—*Porque es testarudo —contestó la abuela Rosa—. Quiere olvidarse del pasado. Quiere que desaparezca. Pero eso es imposible. Si él no lo quiere recordar, entonces depende de vos.*

—*Papá se preocupa tanto por nosotros… —comentó Jorge.*

—*Tu papá es un buen hombre. Cuida de ustedes, y trabaja mucho.*

—*Me lleva a todos los partidos de fútbol —dijo Jorge.*

*La abuela Rosa le sonrió suavemente.*

—*Ama ese juego tanto como vos. Eso es algo que aprendió en Italia.*

—*Vos sabés que yo juego todos los días. Jugamos partidos en la plaza. Nos encontramos todos allí, todos los chicos del barrio y mis compañeros de la escuela —le contó Jorge.*

---

\* Dinero en Argentina. *(N. de la T.)*

—¿Y juegan bien ustedes? —preguntó ella.

—A veces ganamos. Óscar y Alberto están en mi equipo, también Ernesto y Néstor —respondió el nieto y continuó—: Y Nathan y el hijo del dentista, Osvaldo. Tenemos un gran equipo. ¿Vos también jugás al fútbol, nonna?

Ella se echó a reír.

—No. Pero acordate de lo que te voy a decir. Un día también las chicas van a jugar al fútbol, igual que los chicos.

—¿Te puedo contar un secreto, nonna?

—Mis labios están sellados —respondió la abuela Rosa, pasándose un dedo por los labios.

—A veces rezo para que ganemos.

—¿Y da resultado?

—A veces —contestó Jorge.

La abuela Rosa le lanzó una sonrisa.

# 7

······

## *Las lecciones de cocina*

No muy lejos del puente de Sant'Angelo, el puente sobre el Tíber que lleva al Vaticano, el cardenal podía ver la gran sinagoga de Roma en la calle Lungotevere Dè Cenci. El edificio es de estilo clásico, con columnas romanas y grandes puertas de caoba, de más de tres metros de altura. El cardenal mantenía una estrecha relación con su querido amigo, el rabino Abraham Skorka de Buenos Aires, con el que había escrito un libro y también habían hecho juntos una serie de programas para la televisión. En 2007, durante Rosh Hashaná*, el cardenal había visitado la sinagoga en Buenos Aires para hablar ante la comunidad judía sobre la honestidad. Había ido allí como un hermano.

---

*Año nuevo judío. *(N. de la T.)*

Había ido porque sentía que eso era verdad en su corazón, y la verdad siempre es la mejor elección.

—¡*Jorgito! La pelota!* —*gritó Osvaldo, agitando los brazos.*

*Jorge lo vio, dribló a un contrincante, pateó la pelota lo más fuerte que pudo y miró cómo pasaba por encima de la cabeza de Osvaldo y atravesaba limpiamente la ventana de la casa que estaba por detrás de él, destrozando los cristales. Todos los chicos de ambos equipos se quedaron helados de terror cuando los fragmentos de vidrio cayeron al suelo. En un instante, y todos al mismo tiempo, se fueron corriendo en distintas direcciones.*

*Todos menos Jorge.*

*El propietario de la casa salió sosteniendo la pelota cubierta de vidrios en la mano y miró hacia arriba y después hacia abajo de la calle. Después dirigió la vista justo al frente donde estaba Jorge.*

—*Perdón, señor* —*dijo el chico—. Fui yo.*

*El hombre miró hacia atrás, a su ventana rota, y después de nuevo a Jorge.*

—¿*Fuiste vos?*

—*Fui yo, señor* —*repitió el chico.*

*El propietario de la casa se quedó sorprendido por la respuesta.*

—¿Y por qué no saliste corriendo como un conejo asustado, igual que hicieron los otros chicos?

—Si hubiera salido corriendo, usted nunca hubiera sabido quién lo hizo —Jorge se encogió de hombros—. Pero yo sí. Y esta semana ya me confesé una vez.

El hombre soltó una carcajada. ¡Un chico con consciencia!

—No te preocupes por esto —le dijo, y le devolvió la pelota.

Cuando el cardenal llegó a la vía Lungotevere Tor di Nona, la vía adyacente al Tíber, pudo ver el río que serpenteaba a través de las siete colinas de Roma. Al pasar, oía a la gente hablando a su alrededor y entendió lo que decían, gracias a su abuela Rosa, que se había tomado el tiempo para enseñarle la lengua de sus antepasados.

El puente de Sant'Angelo, construido en el año 136, estaba adornado con estatuas de diez ángeles, y llevaba hasta el castillo de Sant'Angelo, al otro lado del Tíber. Cuenta la leyenda que en el año 590 el arcángel Miguel apareció en lo alto de la basílica y a raíz de su aparición, se acabó una epidemia. Por eso, en honor a san Miguel, lo llamaron puente de Sant'Angelo.

El agua del Tíber era como cristal flotante. Continuó su trayecto, cruzando el puente de Sant'Angelo. Ya casi estaba en el Vaticano.

A esa hora de la mañana, las calles de Roma se llenaban rápidamente de turistas; las cafeterías que las flanqueaban estaban repletas de sabrosos *panini* y del aroma del buen café. El plato favorito del cardenal era la *cotoletta alla milanese* que hacía su madre; chuleta de ternera frita con verduras, que a él le gustaba comer acompañada de patatas. El único «vicio» de su madre era el *ristretto*, un café corto y muy fuerte. Ella no sabía mucho de política o de la guerra mundial, que había acabado cuando Jorge tenía diez años, pero sabía lo que era un buen *expresso*. Y sabía cocinar. Toda la familia Bergoglio disfrutaba de su comida. Cuando nació la hermana menor de Jorge, María Elena, en 1949, el cardenal tuvo que enfrentarse a un reto inesperado.

*Mario, el padre de Jorge, empapado en sudor, abrió la puerta del dormitorio y Jorge pudo ver a la partera y a dos de sus tías que estaban dentro. Regina, su madre, acostada en la cama, gritaba a punto de dar a luz a su quinto hijo. Jorge, que sólo tenía trece años, estaba de pie, completamente silencioso, sosteniendo una cacerola de agua hirviendo.*

Su padre le sonrió y tomó precipitadamente la cacerola de sus manos y le pasó otra vacía para que la llenara.

—Herví más agua, Jorgito —le dijo, y volvió a desaparecer en el interior del dormitorio, cerrando la puerta.

Jorge esperó un momento, y después se dio la vuelta y caminó hasta la sala con la cacerola vacía. Allí, sus dos hermanos más pequeños, Alberto y Óscar, y su hermana Marta Regina estaban escondidos detrás de la pared, esperando.

Pocas horas más tarde, el llanto de un recién nacido resonó en la casa de la avenida Membrillar, donde vivían los Bergoglio. Marta Regina corrió hasta la puerta delantera, la abrió con fuerza y frunció el ceño. Esperaba ver un pan. Su padre siempre decía que «cada chico viene con un pan debajo del brazo.»

Jorge, Alberto, Óscar y Marta Regina estaban sentados alrededor de la mesa de la cocina cuando entró Mario y se sentó con ellos.

—Tienen una nueva hermana —les dijo con naturalidad—. María Elena.

Y en lugar de decir algo más, se sirvió un poco de agua de una jarra y se la bebió.

Jorge nunca lo había visto tan agotado.

—¿Pasa algo malo, papá? ¿Mamá está bien? —le preguntó, porque en el semblante de su padre se veía que algo no iba bien.

Mario miró a su hijo mayor e intentó sonreír débilmente.

—¿Tanto se me nota en la cara, Jorgito? —preguntó.

—Vos siempre decís que la puerta al corazón de una persona son sus ojos, papá —contestó Jorge—. Y tus ojos parecen asustados.

Mario miró detenidamente a su hijo mayor, y después le hizo señas para que lo siguiera.

—Vamos a hablar.

Salió y poco después Jorge se levantó y lo siguió por el largo pasillo hasta la sala de estar, junto a la puerta principal. Podía oír el tráfico de la calle Membrillar filtrándose a través de la sólida puerta de madera.

—Tu mamá y tu hermana están bien y descansando —susurró Mario, y continuó en voz baja—: pero el parto le causó problemas en las piernas a mamá

—¿Problemas? —preguntó Jorge.

—Tiene las dos piernas paralizadas —le explicó Mario, y cuando Jorge aspiró un poco de aire, alterado, se apresuró a añadir.

»Pero el médico dice que no va a ser algo permanente. En su momento se va a recuperar. Sólo que por ahora no puede caminar.

Jorge suspiró aliviado.

—Si no puede mover las piernas, le va a ser difícil cocinar. Voy a cocinar yo —propuso audazmente.

*Mario le sonrió.*

*—Sos un verdadero regalo de Dios, Jorgito. Muy bien. Vos vas a cocinar.*

*Jorge se sentía orgulloso por su ofrecimiento y se le hinchó el pecho de orgullo.*

*—¿Qué platos sabés hacer? —preguntó Mario parpadeando.*

*La sorpresa se reflejó en los ojos del chico.*

*—Yo… ¡yo no sé cocinar nada! —dijo.*

*Mario se rió y abrazó a su hijo mayor.*

*—Bueno, ya se nos ocurrirá algo.*

*Al día siguiente, Mario llevó a su mujer, Regina, a la cocina, la ayudó gentilmente a sentarse en su silla favorita junto a la mesa y se aseguró de que estuviera cómoda. Ella acababa de darle de mamar a la pequeña María Elena, que dormía profundamente en la cama matrimonial.*

*—Gracias, Mario —dijo Regina—. Ahora traéme unas papas, un cuchillo y un cuenco.*


*Cuando terminó la clase, Jorge salió del aula y fue hasta donde lo esperaban Ernesto y Néstor.*

*—Tengo que ir directamente a casa —anunció—. Tengo que cocinar.*

*Les contó a sus amigos lo que pasaba y ellos se quedaron mirándolo desconcertados.*

—Pero ¿acaso vos sabés cocinar? —*preguntó Néstor.*

—Por supuesto —*contestó Jorge*—. *Ya sé cómo se hierve agua.*

*Sus amigos se echaron a reír.*

*Después se quedaron mirando cómo Jorge bajaba las escaleras y se iba en dirección opuesta, yéndose a su casa sin decir más nada.*

*Cuando Jorge llegó, Regina Bergoglio estaba sentada en su silla preferida en la cocina, pelando patatas y poniéndolas en un gran cuenco.*

—¿Hoy no hay partido? —*preguntó.*

*El chico negó con la cabeza, dejó sus libros, y acercó otra silla.*

—¿Qué vamos a preparar?

*Regina extendió su delicada mano y acarició la mejilla de su hijo mayor.*

—Cotoletta alla milanese, *Jorgito* —*dijo suavemente.*

—Nunca voy a saber hacerla como vos —*comentó él.*

—No seas tonto. Yo te voy a enseñar. ¿Está bien?

—¿Y si a nadie le gusta como cocino? —*preguntó.*

—Mientras nadie se muera, todo va a andar bien —*contestó ella sonriendo.*

*Jorge asintió y su madre dijo:*

—*Bien. Herví un poco de agua.*

—*Al final hay algo que sí sé hacer* —bromeó Jorge, y se fue a hacer lo que le pedía su madre.

*El cardenal cocina.*

# 8

......

## *Los dolores del crecimiento*

Se accede a la plaza de San Pedro por la vía de la Conciliazione. A pesar de que era primera hora de la mañana, la plaza ya estaba repleta. Al cardenal le pareció que el mundo entero se había dado cita en el lugar. Gente de todos los países, vestida con sus atuendos nativos, portando banderas, se habían reunido en San Pedro. Los sonidos de las lenguas del planeta creaban una cacofonía de voces, palabras e ideas. Y nadie le prestó atención al sacerdote que entró en la plaza.

Mucho tiempo atrás, cuando el cardenal tenía solamente doce años, se parecía bastante a los chicos y a los jóvenes muchachos y muchachas que llenaban la plaza de San Pedro aquel día.

Jorge estaba sentado a la estrecha mesa, junto a la ventana que daba a la calle Membrillar, escribiendo una carta. Dibujó una casa con tejado de color rojo, rodeada por una cerca blanca. Cuando terminó, puso la carta en un sobre y lo cerró, le dio un último bocado a su desayuno, sobre la mesa, y esperó. Instantes después Amalia Damonte, una niña de su misma edad, que vivía cuatro casas más abajo de la suya, pasó con dos amigas, todas cargadas con los libros de la escuela. Jorge aspiró profundamente, tomó la carta y sus propios libros y se lanzó hacia la puerta. Le dio un beso de despedida a su madre y salió disparado de la casa.

Caminó rápidamente por la calle y alcanzó a las chicas cuando estaban llegando a la esquina. Se puso a su lado, entre Amalia y sus amigas.

—Hola —saludó.

Amalia sonrió y ella y sus amigas intercambiaron una mirada y algún cuchicheo, dejando a Jorge al margen de la conversación; después se rieron otra vez. La muchacha se detuvo y lo mismo hizo él, mientras que las amigas siguieron; cuando las chicas estuvieran unos metros más adelante, Amalia volvió a caminar y Jorge se amoldó a su paso.

—Te vi desde mi ventana —le dijo y se puso colorado. Ella sonrió.

—Ya lo sé, te veo todas las mañanas, Jorgito.

—¿Sí?... Bueno, no te vi ayer en el partido. En la plaza, quiero decir.

Ella simplemente se encogió de hombros.

—Tenía que hacer deberes.

Jorge trataba de encontrar el momento apropiado para darle la carta, y cuando se detuvieron en la esquina siguiente, a una cuadra de la escuela, vio a Ernesto y a Néstor que lo esperaban, agitando las manos estúpidamente al otro lado de la calle. Desesperado, sacó la carta de su bolsillo trasero y se la dio a la chica atropelladamente.

—Esto es para vos —dijo, y cruzó corriendo la calle para reunirse con sus amigos.

Las compañeras de Amalia estaban un poco más allá, en la misma esquina, tratando de que ella les prestara atención.

Pero cuando se detuvo en la esquina, ella estaba en su propio mundo, leyendo la carta, mirando fijamente la casa de tejado rojo y una cerca blanca a su alrededor, que él había dibujado.

Las palabras escritas debajo del dibujo lo decían todo:

**Aquí es donde vamos a vivir
cuando estemos casados.**

Amalia se quedó sin aliento cuando leyó el resto de la carta:

**Si vos no te casás conmigo,**

**me voy a hacer cura.**

**Con cariño,** *Jorge*

*Las amigas la rodearon.*

*Jorge, Ernesto y Néstor continuaron calle arriba en dirección a la escuela. Jorge trataba de mirar hacia atrás para ver la reacción de Amalia al leer su carta, pero Néstor le giró la cabeza para que mirara hacia delante y le pegó un puntapié en el trasero.*

*—Ahora vas a tener que confesarte —dijo y todos se rieron.*

*Al día siguiente, Amalia no pasó por delante de su casa.*

*Tampoco el otro.*

*Entonces, el día después, Jorge fue a esperarla, no detrás de la ventana, sino directamente en la calle. Sólo pasaron sus amigas y lo saludaron, sin darle ninguna explicación. Se sentía confuso y necesitaba saber qué pasaba, de modo que las detuvo en la vereda\*.*

*—¿Dónde está Amalia?*

---

\*Acera. *(N. de la T.)*

—*Nos vamos a encontrar con ella un poco más adelante* —*respondió una de sus amigas con una risita.*

—*No la dejan que te vea más* —*agregó la otra.*

—*Pero ¿por qué?* —*preguntó Jorge, apenado.*

—*Su papá encontró tu carta* —*dijo la primera que había hablado, y ambas se rieron otra vez, tras lo cual siguieron caminando.*

*Jorge se quedó helado mirando cómo se iban.*

*Nunca más volvió a hablar con Amalia.*

*Pero fue a la iglesia al día siguiente para confesarse. Y en esa confesión descubrió una clase diferente de amor.*

*El cura le recomendó que hablara sobre la cuestión con su padre, y Jorge lo hizo. Su padre, Mario, le dijo que eso le pasaba porque estaba creciendo, y que si ya era lo suficientemente grande como para pensar en las chicas, entonces también lo era para conseguir un trabajo. Dijo que el trabajo le serviría para entender el mundo, y también su corazón.*

Su padre tenía razón sobre el trabajo. Trabajar le amplió al cardenal su perspectiva. Muchas veces le preguntaron por qué había decidido hacerse sacerdote. Cuando crecía, era lo último que se le hubiera ocurrido que sería. Si alguien le hubiera dicho en aquel entonces que se convertiría en cardenal y en arzobispo de Buenos Aires, él le habría dicho que estaba loco. Hay quienes creen que se convirtió en cura porque tenía una promesa que cumplir: una promesa escrita años atrás en una carta, dirigida a una jovencita llamada Amalia. Pero no fue por ella. Eso había sido solamente una promesa infantil y entonces no sabía qué estaba haciendo. Se convirtió en sacerdote por razones muy diferentes. Aunque también esa vez hubo una chica involucrada.

Cuando el cardenal llegó a la plaza del Santo Uffizio, sacó su casquete rojo del bolsillo de su abrigo oscuro y se lo puso en la cabeza. Después se quitó el abrigo. Debajo llevaba puesta su sotana roja y negra de cardenal. Dobló el abrigo para llevarlo, junto con su maletín negro, y se dirigió al Salón de Audiencias Papales de Pablo VI, conocido como la Sala del Sínodo. Ése era el amplio salón donde el Colegio Cardenalicio comenzaría la Congregación General y debatiría los detalles acerca de cómo gestionar el cónclave. Una vez que dicha Congregación General hubiera acordado las normas y todos hubieran tenido la oportunidad de hablar sobre la dirección de la Iglesia, podrían dar por abierto el cónclave y comenzar la elección de un nuevo Papa.

El cardenal Angelo Sodano estaba hablando sobre

seguridad, cuando el cardenal Bergoglio entró en la sala. Sodano era decano del Colegio Cardenalicio y amigo suyo. Un mar de sotanas negras y rojas se extendía por todo el salón. Sodano informaba a los cardenales de que deberían hacer un voto de confidencialidad acerca de todos los procedimientos, de manera que los medios de comunicación no pudieran saber lo que estaba ocurriendo hasta que se decidieran por un Papa. Habría aparatos instalados en la Capilla Sixtina, donde tendrían lugar las votaciones, para interceptar las llamadas de los teléfonos móviles, y todos los celulares serían confiscados.

Una vez que los ciento quince cardenales estuvieron en sus asientos, la congregación comenzó el largo y laborioso proceso de realizar el juramento de confidencialidad. Eso llevó todo el día, porque Sodano llamaba a cada cardenal por su nombre y el juramento se hacía de forma individual. Cuando todos lo hubieron hecho, el cardenal Bergoglio volvió caminando a su hotel; el primer día había pasado y no se había hecho otra cosa que prometer confidencialidad.

A ese ritmo, daba la impresión de que la Congregación General no terminaría hasta una semana después, antes de poder celebrar el cónclave.

Y eso fue exactamente lo que ocurrió.

*El cardenal se dirige al trabajo.*
*Está fotografiado de camino a la Congregación General.*

# 9
······

## *Todos somos iguales*

Era jueves. Ya era el quinto día de congregaciones generales y el cardenal Bergoglio todavía no había sido llamado para pronunciar su discurso. Entonces oyó que el cardenal Angelo Sodano decía su nombre. Echó una mirada rápida a sus notas, que había escrito en castellano. Caminó pacientemente hacia delante y ocupó su sitio detrás del podio. Pese a que no se veía a sí mismo como candidato para la función de Papa, tenía criterios que no sólo se habían forjado en las calles de Buenos Aires, sino que también había aprendido en el campo de fútbol.

*Remontémonos a 1946: los vocingleros seguidores del San Lorenzo estaban de pie cuando comenzó el segundo tiempo del partido por el campeonato. En el estadio Templo de*

Madera, las entradas se habían agotado y nadie abandonaba su asiento, esperando lo que podía ser un glorioso final de temporada o una amarga desilusión para el mejor club de la liga.

Marta Regina se durmió en brazos de su madre. Y exactamente a los once minutos de haberse quedado dormida, en el minuto cincuenta y seis, empezó a despertarse, cuando Ángel Zubieta centró la pelota al área chica y Pontoni la cabeceó, trazando un ángulo que dejó al arquero vencido.

Sin pérdida de tiempo, Ferro inició una presión sostenida. En el minuto setenta y ocho, Piovano centró al área. Cachiero recibió la pelota y la envió al fondo de la portería.

San Lorenzo 2, Ferro 1.

Los hinchas del Ferro enloquecieron.

Así es como pasan siempre las cosas. El mejor equipo ataca y controla y dispara a puerta..., pero no marca.

Y el otro equipo lo único que necesita es un solo ataque para marcar.

Todos en el estadio sabían que con lo que quedaba de tiempo de juego cualquier equipo podía ganar, o el partido podía acabar en empate. El gol insufló vida a los jugadores del Ferro. Los aficionados cantaban y animaban. Los bombos sonaban más alto y las cornetas no dejaban de oírse.

—¡Dennos otro! ¡Dennos dos más! —cantaban los seguidores del Ferro.

*Los aficionados del San Lorenzo se sobrepusieron a un momento de confusión. El suyo era el mejor equipo de la liga. Tenían los jugadores que podían ganar el campeonato. Cuando faltaban doce minutos para el pitido final, más un par de minutos extras por tiempo de descuento, el 2 a 1 era un resultado suficientemente bueno. Pero los jugadores del San Lorenzo no pensaban en defender el marcador que tenían. Ni por un momento. Eran un equipo de ataque y no estaban ahí para jugar contrarreloj. Era arriesgado, pero eso era lo que hacía de ellos un gran equipo.*

*Jorge miró a su padre. Estaba tan tenso que podía oír su propio corazón golpeándole en el pecho. Su padre le sonrió alentadoramente y le dijo:*

*—Podemos hacerlo. Lo vamos a hacer.*

*Pero, para ser sinceros, Jorge sabía que hasta su propio padre, que se estaba mordiendo las uñas, tenía sus dudas.*

*Los segundos transcurrían y el tiempo pasaba lentamente. Al llegar al minuto ochenta y cinco, los hinchas del San Lorenzo ya no podían aguantar más. Un gran número de ellos, sentados en las primeras filas, irrumpió en el campo agitando banderas, convirtiéndose en participantes del juego, uniéndose a sus amados jugadores.*

*El árbitro detuvo el partido durante unos minutos y los hinchas volvieron a sus sitios. Pero tan pronto como se reanudó el juego, se lanzaron de nuevo al campo. Los* jugadores del San Lorenzo simplemente se quedaron allí, aprovechando para beber un poco de agua. Pasó el minuto noventa. Pero el partido no había terminado. Los aficionados despejaron otra vez el campo.

El árbitro añadió otros cinco minutos extras.

En el minuto noventa y tres, cuando solamente faltaban dos para que acabara el partido, Jorge le gritó algo a los jugadores del Ferro que estaban cerca de él, y su madre le cubrió la boca con su mano. Luego movió la cabeza en gesto de desaprobación y Jorge miró avergonzado hacia otro lado.

Se iba consolidando un sentimiento de victoria. San Lorenzo ganaba por 2 a 1 y estaba a punto de llevarse la copa a casa.

Pero justo en el momento en que esa idea se extendía entre los hinchas del San Lorenzo, se inició un nuevo ataque y, una vez más, Jorge se puso de pie.

¡Para sorpresa de todos, Silva corría hacia la portería del Ferro y marcaba!

¡Gol!

¡El San Lorenzo ganaba 3 a 1 cuando faltaban dos minutos para el final del partido!

La tribuna se volvió loca, la alegría era infinita.

Los aficionados del San Lorenzo no esperaron al pitido del final del partido y nuevamente se lanzaron al campo. Esta vez el árbitro se rindió. Tocó el silbato y finalizó el encuentro.

Miles de bufandas y gorras volaban por el aire.

Héctor Villita, el periodista, garabateaba frenéticamente. «Era como si las manos del equipo campeón encendieran el corazón de sus seguidores, y ellos a su vez eran como chispas, buscando el cielo», escribió.

Una marejada de aficionados atronaba en la tribuna del San Lorenzo y se dispersaba por el campo, incluyendo a Jorge, a su padre y a sus hermanos y hermanas. La madre estaba detrás con el bebé. Todos se abrazaban a todos y saltaban de alegría.

Héctor Villita escribió: «Veo a los jugadores exhaustos llorando. Los aficionados son como un océano humano asaltando el campo de juego. Lo están celebrando de una manera que estremece y emociona a todos, incluyendo a los hinchas del Ferro y a nosotros, los fríos y cínicos comentaristas deportivos que lo estamos viendo».

Los hinchas alzaban a los jugadores en el aire. Nadie podía escapar a esa explosión de felicidad.

Jorge fue testigo de un momento que quedaría grabado para siempre en su corazón. Un día verdaderamente glorioso.

El titular de Clarín, el lunes 21 de octubre de 1946, lo decía todo:

### SAN LORENZO MARCA UNA NUEVA EVOLUCIÓN EN EL FÚTBOL ARGENTINO

*Después de ganar el título, el San Lorenzo hizo una gira por España y Portugal, uno de los momentos más destacados de la historia del club. Después de perder con el Real Madrid derrotaron al Barcelona y a las selecciones nacionales de España y Portugal. La prensa española calificó al San Lorenzo como «el mejor equipo del mundo». Fue el mejor año de la vida de Jorge y el mejor año para el San Lorenzo.*

El cardenal Bergoglio sonrió para sus adentros cuando ya estaba en el podio, a punto de pronunciar su discurso ante el Colegio Cardenalicio. Pensaba en Pontoni, el gran goleador de sus amados Cuervos, en su padre, negándose a hablar en italiano por su desprecio hacia Mussolini, en su abuela Rosa, enseñándole italiano durante tantos años cuando era pequeño, por amor a su herencia. Pensaba en sus raíces italianas. En su amor por Roma e Italia y en la belleza de la lengua italiana. Y así fue como cambió de idea.

En lugar de pronunciar su discurso en español, lo hizo en italiano.

El discurso del cardenal Bergoglio fue sencillo y directo, y conmovió a todos cuantos estaban en la sala. Les dijo a sus colegas cardenales que la Iglesia tenía que abrir sus puertas y salir al mundo. Y eso era exactamente lo que el Colegio Cardenalicio quería oír.

Cuando el cardenal había llegado a Roma, estaba convencido de que no tenía opción de ser elegido Papa, pero sus palabras cambiaron el curso de la historia. Volvió a oír lo que decía su padre: «¿Querés que Dios se ría? Entonces hacé planes».

Las lluvias llegaron a Roma, como solía suceder con frecuencia en marzo, y el cardenal Bergoglio no podía dormir. En lugar de volver a su habitación del hotel en el centro de la ciudad, se había quedado en la nueva residencia Domus Sanctae Marthae, que estaba cerca de la basílica de San Pedro en el Vaticano. Prefería su sencilla habitación en el Paulus VI, pero no podía rechazar el cuarto en Sanctae Marthae. Todos los cardenales tenían que alojarse en un mismo sitio para el cónclave. En el pasado, cuando no se elegía un Papa de inmediato, y se sucedían las votaciones, los miembros del Colegio Cardenalicio quedaban encerrados como prisioneros en la Capilla Sixtina, hasta que tomaban una decisión. Ahora el proceso era más civilizado. Los cardenales se alojan voluntariamente en el Sanctae Marthae en igualdad de condiciones.

La lluvia golpeaba en el techo y el cardenal Bergoglio miraba fijamente el cielo raso y recordaba la lluviosa estación de 1998, cuando había ido a la barriada 21-24 de Buenos Aires para comprobar cómo marchaba su labor allí.

*El arzobispo Jorge Bergoglio ocupaba un asiento en un autobús urbano de Buenos Aires, vestido con la sencilla sotana negra de sacerdote. Incluso entonces, no quería llamar la atención. Si todos los que estaban ahí supieran que era el arzobispo, se arremolinarían a su alrededor. Estaba cumpliendo una misión. Comprobaba minuciosamente las paradas, y cuando vio que Villa 21-24 era la próxima, tocó el timbre para hacerle saber al conductor que quería bajarse y miró hacia la calle, a Villa 21-24.*

*Lo que vio eran las calles de uno de los barrios más peligrosos de la capital: Villa 21-24. Situado en las afueras de Buenos Aires, ese barrio era donde recalaban los pobres y hambrientos forasteros que llegaban a la gran ciudad en busca de trabajo y de un techo donde cobijarse. Solamente un puñado de sacerdotes voluntarios iba allí. Los residentes los llamaban «curas villeros». Jorge era uno de ellos. Villa 21-24 permanecía oculta a los ojos y al alma de los habitantes de Buenos Aires, pero no* al corazón y al alma de Jorge. Las barriadas marginales existen en todas las ciudades y están llenas de gente olvidada.

Pero a Jorge le resultaba imposible olvidar a los pobres. Él era un jesuita. Pero también, como san Francisco de Asís, el fundador de los franciscanos, no podía mirarlos a los ojos sin ver sus almas. Igual que san Francisco, hijo de un rico comerciante, vivía entre los pobres, Jorge tenía que estar entre ellos, si quería servir a Dios.

Las puertas del autobús se abrieron con estrépito.

La gente se preguntaba cómo podía ir a la más peligrosa barriada de Buenos Aires, a lo cuál él les decía: «Por supuesto que puedo. A los ojos del Señor todos somos iguales. Voy a estar bien. Gracias por preocuparse».

Avanzó por entre el barro y la suciedad a lo largo de la avenida Zavaleta. Había imaginado que habría barro porque durante la noche había llovido.

Cuando pasó por delante de la iglesia de la Virgen de Caacupé, salieron algunos chicos a saludarlo y él sacó de su abrigo unos sándwiches envueltos que había preparado para ellos la noche anterior. Había suficientes para todos. Él sabía que siempre había chicos hambrientos en la iglesia y los chicos sabían que el padre Bergoglio siempre tendría algo para darles de comer. El padre Pepe di Paolo salió sonriendo de oreja a oreja.

—Jorgito —dijo abrazando a su amigo—. Me alegro tanto de que estés aquí.

—Hola, padre Pepe, ¿cómo van las cosas en la cancha?

Pepe guiñó un ojo.

—¡Andá a verlo vos mismo!

El arzobispo y el padre Pepe caminaron juntos calle abajo, y cuando llegaron al campo de fútbol que estaba al final del camino, la cara de Bergoglio se iluminó. Se estaba jugando un partido.

El arzobispo reconoció a la mayoría de los jugadores, eran exdrogadictos con los cuales había trabajado anteriormente. Se volvió hacia Pepe y le comentó:

—Nunca podés saber cuál va a ser el próximo Pontoni si no le das una oportunidad.

Los dos sacerdotes volvieron al templo. Cuando llegaron, Jorge se limpió el barro de sus zapatos y entró. En una aula-taller, ocupada enteramente por chicos de unos veinte años, estaban dando una clase de carpintería. Asomó la cabeza y permaneció así por un momento. Otro sacerdote estaba al frente de la clase, enseñando cómo poner una bisagra en un ángulo de una base de dos por cuatro. El sacerdote hizo una seña respondiendo a su saludo, contento de verlo.

—Sin vos no tendríamos esta clase. Gracias por haber reunido el dinero para alimentar a la gente y empezar esta clase de carpintería, padre —dijo Pepe.

—Estas personas fueron rechazadas por sus adicciones. Si tienen la edad suficiente para comprar drogas, también son lo suficientemente mayores para aprender un oficio —respondió el arzobispo.

La clínica estaba al lado del aula-taller y todas las camas estaban ocupadas.

—Padre, qué bueno que está aquí, ¡estoy tan contenta de que haya venido! —dijo la hermana.

—Gracias por invitarme, hermana —le contestó Bergoglio mientras ella lo conducía hacia el interior de la habitación sin ventanas, llena de camas con hombres enfermos en ellas.

Se acercó hasta la primera cama y tomó la mano del hombre que estaba allí acostado, con la boca abierta y sin afeitar.

—El Señor sea contigo, hijo mío —susurró Jorge, y los ojos del hombre se llenaron de lágrimas—. ¿Puedo lavarte los pies?

Cuando el enfermo parpadeó, se deslizó una lágrima de sus ojos y asintió.

*¿Fumata negra o blanca?*
*Los hornos de la Capilla Sixtina.*

# 10

· · · · · ·

## *Dos confesiones*

La plaza de San Pedro estaba mojada por las
fuertes lluvias que habían caído la noche anterior.
Más de 200.000 personas de todas partes del
mundo acampaban en la plaza y sus alrededores.
Lo que se veía desde el cielo era un mar de
coloridos paraguas que formaban un arco iris que
se extendía desde el Vaticano hacia las calles de
Roma y llegaba hasta el Coliseo. Por todas partes se
veían cámaras de televisión en sus plataformas y
monitores de pantallas planas gigantescas, listos
para mostrar al mundo el drama que se estaba
desarrollando. Nadie en las calles de Roma que
estuviera remotamente cerca se iba a mover hasta
que la Iglesia anunciara un nuevo pontífice.
Habían venido para ser testigos de la historia.
Querían ver la fumata blanca.

En la Capilla Sixtina, el suelo resonó cuando los cardenales se presentaron para comenzar el cónclave formando dos filas.

Jorge Berzoglio caminaba junto a su amigo el cardenal Claudio Hummes de Brasil. Los príncipes de la Iglesia entonaban plegarias, pero sus voces quedaban ahogadas por el ruido que hacían los trabajadores que preparaban los hornos para quemar las papeletas de los votos de cada ronda de la elección. Los hornos gemelos eran de hierro forjado y se habían utilizado por primera vez en 1939. Unas tuberías de cobre discurrían por ambos hornos, y esas tuberías, aseguradas por fijaciones de acero, llegaban hasta el techo, lo atravesaban y sobresalían del tejado hasta la parte superior de la chimenea. Uno de los hornos de hierro era para quemar las papeletas y el otro era un horno auxiliar próximo a éste, al que se le añadían productos químicos especiales para que emitiera humo negro o blanco.

Si de la chimenea de la Capilla Sixtina salía humo negro, toda la gente que estaba en la plaza de San Pedro sabría que no se había elegido un Papa aún. Si el humo era blanco sabrían que ya tenían un nuevo Papa.

Mientras los cardenales se desplazaban, las obras de arte de Botticelli, Rosselli y Signorelli que estaban por todas partes los contemplaban. El techo de la Capilla Sixtina está cubierto de maravillosas pinturas del magnífico Miguel Ángel Buonarroti.

Fuera, en la plaza, no había fronteras, límites, ni puertas cerradas. Todos los ojos estaban puestos en la chimenea que sobresalía del tejado de la sala donde tenía lugar el cónclave en la Capilla Sixtina.

El cardenal Bergoglio estaba sentado cerca de Hummes. La mitad de los cardenales estaban situados a un lado de la sala, la otra mitad en el opuesto, mirándose unos a otros. En el salón era tal el silencio que podía oírse la caída de un alfiler mientras los cardenales garabateaban en sus papeletas de votación. Y cuando acabaron, las depositaron dobladas en la urna que estaba sobre el altar. En la pared, encima de la urna había un Jesucristo mirándolos desde un cuadro de Miguel Ángel, *El juicio final*.

Cuando todos los votos hubieron sido emitidos, el cardenal de más edad, Giovanni Battista Re, y otros dos cardenales contaron los votos. Luego Battista Re leyó los nombres en voz alta. Un candidato necesitaba las dos terceras partes más uno, lo cual arrojaba un total de setenta y siete votos, para que una ola de humo blanco saliera de la chimenea de la Capilla Sixtina.

En la primera votación nadie obtuvo los votos suficientes. Los encargados del recuento depositaron las papeletas en el horno para ser quemadas. Y añadieron productos químicos en el otro horno para que generara humo negro. El cardenal Bergoglio se dispuso a volver a Sancta Marthae, pero antes entró en el confesionario reservado únicamente para los cardenales. Allí había un sacerdote esperándolo.

—Bendíceme, padre, porque he pecado —dijo suavemente y después continuó.

Había habido otra confesión hecha por el cardenal; una que había cambiado su vida cuando tenía diecisiete años.

*—¡Apurate, Jorgito! —gritó Ernesto. Estaba en la acera, delante de la casa de Jorge en la calle Membrillar, con Néstor y un par de muchachas. Era el 21 de septiembre de 1953, el primer día de la primavera en el hemisferio austral. Cuando Jorge, de diecisiete años, salió por la puerta delantera de su casa, a la joven de largo pelo negro se le iluminó el rostro al verlo. Jorge realmente le gustaba. Al verla, él le dedicó una sonrisa. Ella extendió la mano y él la tomó en la suya. El grupo empezó a caminar rápidamente por la calle hacia la*

sala de baile que estaba unas cuantas manzanas más allá, donde iban todos a bailar.

Al pasar por un restaurante, Jorge vio a un hombre rico vestido con un traje caro sentado en una mesa afuera, comiendo, mientras un grupo de chicos con la ropa sucia lo miraban con ojos hambrientos. Jorge miró a sus amigos, consternado, pero no dijo nada. Se demoró por un momento, pero no podía decidir qué hacer ante lo que estaba viendo. Se sentía mal por esos chicos. Él nunca había pasado hambre, pero podía ver en sus ojos la necesidad de esos niños. Pasaron por delante de una iglesia que había en la esquina siguiente.

La sala de baile estaba unas cuantas manzanas más allá y pronto todos estarían bailando tangos y las últimas melodías argentinas de moda en aquel momento. Pero cuando finalmente llegaron, Jorge retrocedió.

—¡Vamos, Jorgito! —dijo la muchacha—. ¡Vamos a bailar!

Y riendo se apresuró a entrar en la sala. Él miró hacia el interior. La chica le hacía señas para que entrara, pero en lugar de seguir adelante, dio un paso atrás.

—Enseguida vuelvo —gritó por encima de la música. Se dio la vuelta y se fue.

—Jorgito, ¿adónde vas? —gritó Néstor siguiéndolo.

—No lo sé —respondió y se fue andando de vuelta hacia la iglesia. Era donde Jorge y su familia oían misa cada domingo. *Cuando entró, vio a un sacerdote que le daba la espalda, arrodillado ante el altar.*

*—¿Padre? —preguntó.*

*El cura se dio vuelta y Jorge no lo reconoció.*

*—Oh, perdón, yo, yo pensaba que usted era otra persona.*

*El sacerdote le sonrió y dijo:*

*—Soy nuevo. ¿Puedo ayudarte?*

*Jorge cambiaba el peso de su cuerpo de un pie a otro, incómodo. Finalmente dijo:*

*—No estoy seguro, padre, ¿puedo confesarme?*

*El cura volvió a sonreír:*

*—Por supuesto, hijo mío.*

*Y agregó:*

*—Bueno, parece que Él te impulsó a venir, te ha estado esperando.*

*Cuando Jorge salió de ese confesionario en Flores, nunca más volvió a la sala de baile, ni siquiera volvió a ver a aquella chica otra vez.*

*Esa noche, su madre estaba sentada en su sillón y su padre estaba de pie tras ella, cuando Jorge les dijo lo que le ocurría.*

*—Miren, me di cuenta de que Él me estaba esperando. Yo lo andaba buscando, pero Él me encontró primero —afirmó—. Nunca antes lo había dicho, pero pienso que quiero dedicar mi vida a Dios. Quiero ser sacerdote.*

Su padre, Mario, era todo sonrisas:

—Ésa es una noticia maravillosa, Jorge —le dijo.

Regina rompió a llorar.

—¿Por qué llorás, mamá? —le preguntó Jorge, tomándola de la mano—. ¿No te alegrás por mí?

—¡No! —contestó ella, con los ojos llorosos—. ¡Tenía la esperanza de que fueras médico!

# 11
• • • • • •

## *Acepto*

Cuando un cónclave no elige un Papa en la primera
votación, el primer día, en cada uno de los días
siguientes se celebran cuatro votaciones —dos por la
mañana y dos por la tarde— hasta que hay fumata
blanca. El cardenal Giovanni Battista Re leyó el
nombre del cardenal Bergoglio más de setenta veces.
El cardenal se movía incómodo, dándose cuenta de
que cabía la posibilidad de que no volviera a su amada
Buenos Aires en lo inmediato. Hacía ya mucho tiempo
que había sabido que no sería jugador de fútbol ni
médico. Pero convertirse en Papa, eso no era algo que
él podía decidir. Su vocación, que había comenzado
casi cincuenta años antes en un confesionario, lo
había llevado a convertirse en cardenal. Ahora, en
cuestión de minutos, podían hacerlo jefe de la Iglesia
católica.

—No olvides a los pobres —le susurró el cardenal Claudio Hummes, abrazándolo.

—No lo haré, querido Claudio —le susurró a su vez Jorge. Miró su mano. Estaba temblando. Cuando alzó la vista, sus ojos se encontraron—. Pero son sólo setenta votos —le sonrió a su amigo—, todavía no estoy enganchado en el anzuelo.

—No por mucho tiempo —le contestó Claudio y le guiñó un ojo.

En la historia de los cónclaves que empezó en 1276, el Colegio Cardenalicio nunca había elegido un Papa que no fuese europeo, y menos a un jesuita. Este hecho no se le escapaba al cardenal cuando oyó al cardenal Giovanni Battista Re pronunciar su nombre setenta y siete veces seguidas. La Capilla Sixtina estalló en aplausos, antes de que pudiera pensar siquiera. El cardenal estaba de pie, oyendo las palabras que salían de su boca: «*Accetto*», dijo en italiano.

—Acepto.

»Elijo el nombre de Francisco, en homenaje a san Francisco de Asís —prosiguió. Y la Capilla Sixtina estalló en aplausos una vez más. San Francisco de Asís no sólo había sido el hijo de un rico comerciante que había dedicado su vida a los pobres, sino que era también el santo patrón de Italia. Y el nombre del bisabuelo del cardenal Bergoglio.

Y así, ya avanzada la tarde del 13 de marzo de 2013, en la quinta votación, el cardenal Jorge Mario Bergoglio fue elegido Papa.

Las papeletas ardieron en el horno de la Capilla Sixtina provocando una brillante llamarada, y una nube de humo blanco se esparció desde la chimenea ante la vista del mundo. Los cientos de miles de fieles que habían pasado días acampados en torno al Vaticano irrumpieron en vítores y aplausos.

Cuando los asistentes escoltaron al Papa recién electo para probarle la sotana papal, el cardenal Hummes permaneció junto a su amigo.

—Dios te ayude por lo que has hecho —le susurró Jorge a su amigo, mientras iban hacia la sala de prueba.

Unos minutos después estaban allí y el sastre que vestía a los pontífices trajo una sotana papal de color blanco, de elaborado diseño, ribeteada en piel y con incrustaciones de piedras preciosas, que había usado una vez el papa Benedicto XVI, junto con una cruz pectoral de oro, y un par de elegantes zapatos rojos de Prada.

—Tenemos tres tallas de sotana: pequeña, mediana y grande —anunció el sastre.

—No las necesito —dijo Jorge—. Me pondré una sotana blanca sencilla, y esto —añadió, sacando su cruz de hierro de su maletín—. Y, por supuesto, éstos, mis viejos amigos —agregó, señalando hacia abajo, hacia sus pies, mostrándole al sastre los zapatos que llevaba puestos: su calzado preferido, unos Oxford de color negro.

Veinte minutos después, el sastre volvió con una austera sotana blanca, hecha a la medida del nuevo Papa. Jorge se quitó la vestidura escarlata y negra de cardenal, y el sastre vio de inmediato en su pecho, la gran cicatriz irregular, que se extendía desde uno de los pectorales hasta la mitad de su espalda.

Jorge se vistió con la sencilla sotana blanca de Papa y su cruz de hierro pectoral.

—Cuando tenía veintiún años, tuve una neumonía terrible —explicó—. Fue en el año 1957 y todavía no estaba decidido a ingresar en el seminario.

*La cama de Jorge estaba empapada de sudor cuando su padre irrumpió en el cuarto. Sacó el termómetro de la boca de su hijo de veintiún años, lo miró y frunció las cejas. Jorge estaba delirando y probablemente no sabía dónde estaba. Regina entró sollozando en la habitación, con un paño de cocina.*

—Mario, ha venido el doctor —anunció entre sollozos.

El médico la apartó con delicadeza y miró a Jorge; después se volvió hacia Mario y le dijo:

—Aquí no puedo hacer nada por él. Es necesario llevarlo al hospital.

Cuando Jorge se despertó, estaba en una cama de hospital y no tenía idea de cómo había llegado allí. Tenía tubos en un brazo y en la nariz, y cuando miró hacia abajo, vio su pecho envuelto en vendajes de gasa y esparadrapo. Le dolía muchísimo. Lo último que recordaba eran los sueños febriles; ahora ya no se sentía enfermo. Sólo dolorido. Alguien sostenía su mano. Era su madre.

Su padre estaba hablando en voz muy baja con un hombre vestido con una bata blanca y la nonna Rosa se hallaba junto a su madre. Él no podía hablar, porque tenía un tubo en la garganta. Sentía un poco de dolor y, entonces, el médico se acercó y giró una válvula de control; volvió a dormirse.

El cardenal palpó su cicatriz bajo la sotana.

—En aquel entonces no había antibióticos. En cualquier caso, no los había en Argentina. De manera que para salvar mi vida, los doctores me quitaron gran parte de este pulmón —dijo, tocando ese lado de su cuerpo.

El sastre asintió.

—Estamos todos encantados de que así lo hicieran, eminencia —observó, y se marchó.

Habían pasado cincuenta años desde esa operación y ahora, a los setenta y seis, el cardenal estaba tan bien como podía estar. Cuando se preparaba para saludar a su nueva congregación mundial, se acercó a su maletín, tomó un sobre amarillento que estaba en su breviario, y lo introdujo en su sotana. El sobre contenía palabras de sabiduría que él sabía que necesitaría leer muy pronto.

# 12
......

## *Un Papa*

El papa Francisco atravesó deprisa la Sala Regia y se
dirigió a la Capilla Paulina; pidió quedarse a solas
durante unos minutos. Al otro lado de la Capilla
Paulina había otra habitación y después estaba
el famoso balcón donde él sería presentado ante el
mundo en sólo unos minutos. Podía oír a las miles de
personas que esperaban excitadas en la plaza. Sentía
una gran ansiedad. Para que se le pasara, cerró sus
ojos y trató de relajarse, haciendo desaparecer todos
sus pensamientos, incluso la idea de rechazar el cargo
de Papa. En determinado momento, se sintió invadido
por una poderosa luz. Eso duró un momento, pero a
él le pareció mucho tiempo. Entonces la luz
desapareció. Pronto se sintió recuperado y fue
caminando hacia la sala donde los cardenales lo
estaban esperando.

En la sotana llevaba su breviario, y en ese breviario había un sobre amarillo con una carta de la abuela Rosa. Se la había escrito cuando él ingresó en el seminario en 1958. Era lo último que ella había escrito para él, y él la había mantenido consigo todos esos años en su libro de oraciones. Era una sencilla carta a su nieto, y decía:

*Que mi nieto, al que he dado lo mejor de mi corazón, tenga una vida larga y dichosa. Pero si tuviera que atravesar días de dolor o enfermedad, o si la pérdida de un ser querido lo llenara de desesperación, recuerde que el susurro de una plegaria y una mirada a la Virgen María, al pie de la cruz, pueden ser una gota de bálsamo incluso para las más profundas y dolorosas heridas.*

El cardenal camarlengo, que preside la Cámara Apostólica, estaba esperando al Papa cerca de una mesa. Desplegado encima de la superficie había un gran pergamino, que todos los papas electos deben firmar si aceptan el cargo.

El papa Francisco caminó silenciosamente hasta donde estaba el documento y lo firmó. Cuando acabó, le dio la pluma al cardenal camarlengo, que también lo firmó.

Estaban en la llamada Sala de las Lágrimas. Llevaba a la llamada Logia Central, donde el papa Francisco debía encontrarse con el mundo. La Sala de las Lágrimas es donde todos los papas inician su andadura; allí, todos cuantos fueron papas antes que él habían comprendido el peso que habían asumido sobre sus hombros en el nombre de Dios. Muchos de ellos habían llorado en ese lugar, y por eso se llamaba la Sala de las Lágrimas.

El papa Francisco estaba animado. Quería abrir las puertas de la Iglesia al mundo. Él era el primer Papa jesuita. Era también el primer Papa de América. Tenía un pie en el viejo mundo y otro en el nuevo. De Portacomaro, Italia, hasta Flores, Buenos Aires, Argentina: dos mundos, pero un solo Papa.

El papa Francisco sabía que Ernesto, Néstor y su hermana menor, María Elena, estaban en casa mirando la televisión y que pese a que sus amados Cuervos de Boedo no ganarían todos los partidos —incluso aunque él fuera el Papa—, habían ganado el último que habían jugado, y así era como se ganaba, uno a uno.

El papa Francisco se encontró con Georg Gänswein, prefecto de la Casa Pontificia y el cardenal Tauran, el presidente del Consejo Pontificio, en el pasillo de entrada que lleva a la Logia Central. Ambos estaban delante de la cortina de terciopelo rojo, esperándolo.

—¿Preparado Su Eminencia? —preguntó el cardenal Tauran.

Jorge cerró los ojos y asintió.

Ésa era la señal. Los dos cardenales apartaron las cortinas y el cardenal Tauran salió para acercarse al micrófono de la Logia Central.

La multitud estalló en vítores y aplausos y al instante siguiente se hizo el silencio.

El cardenal Tauran se inclinó sobre el micrófono: «*Habemus Papam!*», gritó ante el mundo. «¡Tenemos Papa!»

Jorge enderezó la sencilla cruz pectoral de hierro sobre su pecho, caminó solemnemente hacia el exterior de la Logia Central y se encontró con el mundo por primera vez, ya como papa Francisco. Sabía de antemano cómo iba a acabar su discurso:

«¡Recen por mí!»

*Primera presentación pública del recién electo papa Francisco.*

•••••

## *Epílogo*

El día que el cardenal Jorge Bergoglio fue elegido Papa, en Argentina se celebraba el sorteo de la lotería nacional. El número premiado fue el 8.235. Hubo quien comentó que era toda una coincidencia, teniendo en cuenta que el número de socio del San Lorenzo de Almagro del papa Francisco era el 88235.

Otros les recordaron lo que había dicho Albert Einstein: «Las coincidencias son la manera que tiene Dios de permanecer en el anonimato».

*La remera\* conmemorativa del San Lorenzo de Almagro*
*en honor al papa Francisco.*

---

\* Camiseta. *(N. de la T.)*

*El cardenal mostrando el banderín de su amado equipo.*

## Agradecimientos

El autor quiere agradecer a Yitzhak Ginsberg, que hizo que esto fuera posible.

A la máquina del tiempo de Diego Melamed, que fue hasta donde nadie había llegado nunca.

Y a Michele Caterina, que le dio sentido a todo.

El editor quiere dar las gracias a Yosi Ohayon, Taly Ginsberg, Lynn Snyder y a todas las personas de Sole Books que contribuyeron a hacer este libro.

Todos ustedes tienen nuestra eterna gratitud.

······

## *Obras citadas*

«1946 Argentine Primera División.» *Wikipedia.* Wikimedia
Foundation, 20 de agosto de 2013. Consultado en
Internet: 27 de agosto de 2013.

Alpert, Emily. «Neighbors, Old Friends Offer Up Stories of
Pope Francis as a Boy.» *Los Angeles Times,* 15 de marzo de
2013. Consultado en Internet: 27 de agosto de 2013.

Alsop, Harry. «Pope Francis: 20 Things You Didn't Know.»
*The Telegraph,* 14 de marzo de 2013. Consultado en
Internet: 27 de agosto de 2013.

Bennett-Smith, Meredith. «Amalia Damonte, Pope Francis's
Childhood Sweetheart, Rejected Young Man's Marriage
Proposal (VIDEO).» *The Huffington Post,* 15 de marzo de
2013. Consultado en Internet: 27 de agosto de 2013.

Bensinger, Ken. «Pope Francis, Soccer Fan, Scores with
Argentina Media.» *Los Angeles Times,* 14 de marzo de 2013.
Consultado en Internet: 27 de agosto de 2013.

Bergoglio, Jorge Mario. *On Heaven and Earth: Pope Francis on Faith, Family, and the Church in the Twenty-first Century,* Doubleday, Boston, 2013.

Bergsma, John. «Pope Francis' Actual Football Club Card.» *The Sacred Page,* 14 de marzo de 2013. Consultado en Internet: 27 de agosto de 2013.

Burgess, Tina. «Pope: One Lung and 9 More Less-Known, Unusual Facts about Pope Francis.» *Examiner.com,* 14 de marzo de 2013. Consultado en Internet: 27 de agosto de 2013.

«Campeón, por santo y... por bueno». *Clarín* [Buenos Aires], 9 de diciembre de 1946. Sección de Deportes (portada).

Ciancio, Antonella. «Pope Francis Feted in Italian Ancestral Village.» *Reuters,* 15 de marzo de 2013. Consultado en Internet: 27 de agosto de 2013.

Connor, Tracy. «Pope Stuns Newsstand Owner by Calling to Cancel Home Delivery.» *NBC News,* 22 de marzo de 2013. Consultado en Internet: 27 de agosto de 2013.

Cullinane, Susannah. «Pope Benedict XVI's Resignation Explained.» *Cable News Network,* 28 de febrero de 2013. Consultado en Internet: 27 de agosto de 2013.

Di Stefano. «Humble May Have Played with Pope» *Deccan Herald. Reuters,* 18 de marzo de 2013. Consultado en Internet: 27 de agosto de 2013.

*Domus Internationalis Paulus VI — Informazioni,* Consultado en
    Internet: 27 de agosto de 2013.

«El Papa Saluda a "los Cuervos", los hinchas del San Lorenzo
    de Almagro.» *YouTube,* 10 de abril de 2013. Consultado en
    Internet: 27 de agosto de 2013.

Escobar, Mario. *Francis: Man of Prayer,* Thomas Nelson,
    Nashville, 2013.

«Estadio Pedro Bidegain». *Wikipedia.* Wikimedia Foundation,
    31 de julio de 2013. Consultado en Internet: 27 de agosto
    de 2013.

Fausset, Richard. «Pope Francis' Latin American Upbringing
    Is Unique among Popes.» *DeseretNews.com. Los Angeles
    Times,* 23 de marzo de 2013. Consultado en Internet:
    27 de agosto de 2013.

France-Presse, Agence. «Pope Francis Remembered as a
    'Little Devil' at School.» *GlobalPost.* Agence France-Presse,
    14 de marzo de 2013. Consultado en Internet: 27 de
    agosto de 2013.

Glatz, Carol. «Pope Chooses Silver Ring, Pallium Style in
    Keeping with Predecessor.» *Catholic News Service,* 19 de marzo
    de 2013. Consultado en Internet: 27 de agosto de 2013.

Greenspan, Jesse. «8 Things You May Not Know About the
    Papal Conclave.» *History.com.* A&E Television Networks,
    11 de marzo de 2013. Consultado en Internet: 27 de
    agosto de 2013.

Guardian Staff. «Pope Francis: 13 Key Facts about the New Pontiff.» *The Guardian*, 13 de marzo de 2013. Consultado en Internet: 27 de agosto de 2013.

Henao, Luis A. «Argentinians Celebrate Francis as Their "Slum Pope".» *NBC Latino*, 15 de marzo de 2013. Consultado en Internet: 27 de agosto de 2013.

Hoffman, Matthew. «Life, Family and Culture News.» *LifeSiteNews.com. Latin American Correspondent*, 18 de marzo de 2013. Consultado en Internet: 27 de agosto de 2013.

«Júbilo que acerca al pasado». *Clarín* [Buenos Aires], 9 de diciembre de 1946, Sección de Deportes: 30.

Lucero, Diego. «Pontoni marcó un gol como para pasarlo en El Colon.» *Clarín* [Buenos Aires], 9 de diciembre de 1946, Sección de Deportes.

Meichtry, Stacy, y Alessandra Galloni. «Fifteen Days in Rome: How the Pope Was Picked.» *Wall Street Journal*, 14 de abril de 2013. Consultado en Internet: 27 de agosto de 2013.

Memmott, Mark. «Pope Francis Is Now "Papa Crow" to His Favorite Soccer Club.» *NPR*, 14 de marzo de 2013. Consultado en Internet: 27 de agosto de 2013.

Merolla, Daniel. «Pope Francis Is Humble Son of Argentine Workman.» *InterAksyon.com. Agence France-Presse*, 14 de marzo de 2013. Consultado en Internet: 27 de agosto de 2013.

Miller, Victoria. «Pope Francis Was a Devilish Little Boy According to Teacher.» *Philadelphia Pop Culture Examiner. com*, 20 de marzo de 2013. Consultado en Internet: 27 de agosto de 2013.

Mojonnier, Laura. «Curas Villeros.» *The Argentina Independent*, 14 de marzo de 2011. Consultado en Internet: 27 de agosto de 2013.

Peck, Brooks. «San Lorenzo Wears Pope Francis on Their Shirts for Match against Colon, Win with an Own Goal.» *Yahoo! Sports. Dirty Tackle*, 16 de marzo de 2013. Consultado en Internet: 27 de agosto de 2013.

«Pope Francis and His Good Friend the Rabbi.» *JerusalemOnline*, 2 de julio de 2013. Consultado en Internet: 27 de agosto de 2013.

«Pope Francis: His Holiness the Commuter and Football Fan.» *RSS. Euronews*,14 de marzo de 2013. Consultado en Internet: 27 de agosto de 2013.

«Pope Francis Makes Spontaneous Appearances on His First Sunday.» *WLTX.com Web Staff*, 17 de marzo de 2013. Consultado en Internet: 27 de agosto de 2013.

«Pope Francis: The History Behind the Ancient Christian Ritual of Washing Feet.» *The Telegraph*, 29 de marzo de 2013. Consultado en Internet: 27 de agosto de 2013.

«Pope Recalls "that Goal by René Pontoni".» *MARCA.com (English Version)*, 13 de agosto de 2013. Consultado en Internet: 27 de agosto de 2013.

Press, Associated. «Pope Francis: Soccer Fan.» *CBSNews*. CBS Interactive, 14 de marzo de 2013. Consultado en Internet: 27 de agosto de 2013.

Quijano, Elaine. «Argentines Recall Pope's Humility (and Soccer Abilities).» *CBSNews*, 15 de marzo de 2013. Consultado en Internet: 27 de agosto de 2013.

Reidy, Tim. «What Happens in the General Congregation?» *America: The National Catholic Review*, 4 de marzo de 2013. Consultado en Internet: 27 de agosto de 2013.

Rossini, Connie. «Meet Pope Francis (for Kids and Their Parents).» *Contemplative Homeschool Blog*, 19 de marzo de 2013. Consultado en Internet: 27 de agosto de 2013.

Rubin, Sergio. *Pope Francis: Conversations with Jorge Bergoglio: His Life in His Own Words*, Penguin Group (USA), Nueva York, 2013.

Santisteban, Claudio. «Pope Francis Childhood Home in Flores Neighborhood of Buenos Aires.» *Demotix*, 15 de marzo de 2013. Consultado en Internet: 27 de agosto de 2013.

Scalfari, Eugenio. «The Pope: How The Church Will Change.» *La Repubblica* [Roma]. 1 de octubre de 2013. Sección de Cultura: «Sister Remembers Pope When They

Were Young.» *RSS*. *Euronews,* 19 de marzo de 2013. Consultado en Internet: 27 de agosto de 2013.

«SS Principessa Mafalda.» *Wikipedia*. Wikimedia Foundation, 24 de julio de 2013. Consultado en Internet: 27 de agosto de 2013.

Staff, Wire Reports And. «Pope Francis Makes Surprise Call to Fellow Argentines.» *USA Today,* 19 de marzo de 2013. Consultado en Internet: 27 de agosto de 2013.

«Un día como hoy.» Enciclopedia de San Lorenzo, 12 de agosto de 2010. Consultado en Internet: 27 de agosto de 2013.

Villita, Héctor. «Entre Martino y Pontoni pusieron los remaches.» *Clarín* [Buenos Aires], 9 de diciembre de 1946, Sección de Deportes: 31.

Viola, Frank. «15 Interesting Facts About Francis — The New Pope.» *Patheos,* 5 de agosto de 2013. Consultado en Internet: 27 de agosto de 2013.

# MICHAEL PART ES TAMBIÉN EL AUTOR DE

## *Messi: su asombrosa historia*

La fascinante historia de Lionel Messi, una leyenda del fútbol, desde su primer contacto con este deporte a los cinco años en las calles de Rosario, Argentina, hasta su primer gol en el Camp Nou de Barcelona, España. *Messi: su asombrosa historia* relata la increíble historia de un chico que nació para jugar al fútbol, y que estaba destinado a convertirse en el mejor jugador del mundo.

**128 páginas + 8 páginas fotos a color**

## *Cristiano: su asombrosa historia*

La increíble vida de un muchacho que creció en las calles de Funchal, Madeira, y terminó convirtiéndose en uno de los más importantes jugadores de fútbol de toda la historia. Un conmovedor y apasionante relato de su trayecto a la gloria, y de lo que lo convirtió en el hombre que es hoy día.

**128 páginas + 8 páginas fotos a color**

síganos en **www.mundopuck.com**
y **facebook**/mundopuck